五井昌久著

世界人類が平和でありますように

白光真宏会出版本部

著　　　者（1916～1980）

世界平和の祈り

吾人類が平和でありますように
日本が平和でありますように
私達の天命が完うされますように
守護霊様ありがとうございます
守護神様ありがとうございます

昌久

序文

西園寺昌美

〝世界人類が平和でありますように〟というポスターや塔が、あちらこちらの町角や各家々の門に貼られてあるのを何度も目にふれられたことと思います。北は北海道から南は九州、沖縄に至るまで、全国的に貼りめぐらされております。またこの祈り言葉は、各宗派を超えたものなので、塔が教会や神社や仏閣にも建てられております。

ごくあたりまえで、単純素朴な言葉、また、一読すれば子供から老人に至るまで、その意味がスーとわかるこの言葉は、私の養父である著者の故五井昌久先生が提唱なされたものです。

先生は終始一貫、世界人類の平和を願い、そしてそれを身をもって実行し、一生を終えられた方です。この祈り言葉のあるところに必ず平和のひびき調和のひびきがなりひびき、この祈り言葉に接した人々は、幸せに導かれ、真理に目覚めさせられていきます。人と神との出合いがごく自然に無理なく行われていきます。そして、知らないうちに暗い悲しい心が、明るい心に変わって光り輝く人生を歩みはじめるのです。

世界人類が平和でありますように、という言葉がどのようにして生れたか、またどのような哲学をもっているか、いのちをもっているかは、このご本を読んで下さればよくわかっていただけるものと思います。

　私達は先生の呼びかけに応えて、祈りによる世界平和運動というものを推進しております。白光真宏会が主体になっておりますが、会の宣伝とか、拡大をはかってやっているものではありません。天からの平和を呼ぶ声に応えて、この地球の上に、個人個人の家庭の上に、心の上に真実を現わそうと始められたものです。

　どうぞご理解下さって、このご本をお読み下さったことをチャンスに、平和を祈る運動にご参加下さいますようお願い申し上げます。

昭和五十六年四月

目次

人間と真実の生き方

人間は本来、神の分霊であって、業生ではなく、つねに守護霊、守護神によって守られているものである。

この世のなかのすべての苦悩は、人間の過去世から現在にいたる誤てる想念が、その運命と現われて消えてゆく時に起る姿である。

いかなる苦悩といえど現われれば必ず消えるものであるから、消え去るのであるという強い信念と、今からよくなるのであるという善念を起し、どんな困難のなかにあっても、自分を赦し人を赦し、自分を愛し人を愛す、愛と真と赦しの言行をなしつづけてゆくとともに、守護霊、守護神への感謝の心をつねに想い、世界平和の祈りを祈りつづけてゆけば、個人も人類も真の救いを体得出来るものである。

祈りは地球の運命も変える

昭和54年12月〈白光〉発表

祈りは単なる儀式ではない

何度も祈りについて書かないではいられないのですが、今回は又まともに祈りについて書いてみます。

実に残念なことに、宗教者として世にたっている人たちの中にも、真実の祈りというものを知らない人がいたり、祈りなどといって、祈りの重要性を問題にしない人などがいる今日なのです。祈りに明けて、祈りにくるる私などにとっては、宗教の道に入っていながら、どうして祈りが判らないのか、と不思議でならないのです。

かつて宗教者平和会議の最初の会に出席して、宗教の本質である祈りなどまるでそっちのけにしての、唯物論者と同じような立場での貧しいものの救済や、弱者擁護の叫び、それに人間の本質から離れた現象面に把われた平和論などで、人間の本質である、神との一体化による平和論や人類救済の活動などはすっかり蔭にかくれてしまっていたのです。

宗教者の会議に祈りが形式的に取り上げられただけで、会議の進行とは何らの関係もない状態では、これは単なる精神主義運動と、唯物運動との混交したものでありまして、昔から考えたり行なわれたりしていた運動と少しも変わりのないもので、この世的に強い力をもつ国家民族の意のままになってしまう地球の状態を変えることはできないのです。

この人たちにとっては、祈りは個人的に力はあるかも知れないが、国家や人類の運命を動かし得る力ではないぐらいに思っているのか、只単なる形式的な行事に過ぎないと思っているかなのでしょう。

尤も、祈りなどしていて一体何になる、と叫んでいた人もいたくらいですから、一般に祈りにむかう心ではなく、眼の前に現われている地球の運命を、自分たち肉体人間としての力で、善い方向に変えてゆこうというので、誤った行為と思えるものは多数の人々の力で抑えつけて正しくしてゆこう、とするのであります。

人間観、世界観を変えねば……

しかし、多数の人が誤った行為と思っていても、武力や経済力の強い大国がその誤った行為を強行している場合には、この力を抑えることができません。この地球界は今のところは、武力や経済力に勝る力がないからです。そこでどんな多数の反対があっても、大国の武力や経済の力の前には一歩も歩を進めることができないのです。

いいかえますと、現在の地球人の世界観では、武力や経済力の強い大国の思うままに、この地球は動かされていってしまうということで、いかに正義を唱えても、平和を叫んでも、力のない国々の働きは常に抑えつけられてしまうのです。

そういうことが判っていながらも、現在の宗教者たちは、そうした大国と同じような、物質世界を、単なる精神主義とかわらない立場で論争しているのであります。

私たちはそのことを長年月叫びつづけているのです。そんな論争をいくらしても、そんな立場でいくら行動しても、単なる無駄働きになるだけで、大国たちのわがままを抑えることはできません。したがって、核爆弾ができて、実際に日本においてつかわれたことのように、いや更に更に恐ろしい自国陣営をかばう為の攻撃兵器を地球上で使い合う、大国同士の戦いが、やがては起ってしまうのであります。戦いが起れば、これは地球滅亡にそのままつながってしまうことは考える余地もありません。

第三回世界宗教者平和会議

ですから、何回何十回世界の宗教者平和会議を開いても、宗教者が世界中飛び廻って人類平等や、世界平和を叫び廻っても、武力を主にしている大国たちと同じ立場で物をいっていたのでは仕方がありません。そのことにやや、薄々に気づきはじめた人たちもいたとみえて、五十四年八月二十九日から、世界四十六ケ国の宗教者代表三百五十四人が集って、米国のニュージャージィ州のプリンストンで開かれた、世界宗教者会議では、漸く、祈りのことが表面に現わされまして、会議の中で、

「霊性——人間は意識と願望をもつという事実だけによっても、個人としてそれを受け入れようが受け入れまいが、非霊性的存在ではあり得ない。人間が超越者（あるいは自己）を認識するためには霊性的存在でなければならない。

世界共同体の霊的基盤をなすのは、ひとつの所属感、相互依存感、そして人間としての共通の運命の受容である。このことは、個人的次元および共同体という集団次元で、生活にあらわれる超越なるものへの応答の一方法としての他人に対する責任感という概念で表現されている」

というように、霊性である人間を表面的に取上げてきたのは、以前にくらべて、随分唯物論的立場の大国の政治政策と立場を異にしてきたものであります。そして、「ＷＣＲＰ（世界宗教者平和会議の略称）活動については、将来のＷＣＲＰにおいては、もっと祈り、瞑想、霊的修行の機会を増やし、会議期間中の祈り、瞑想のための部室を設ける。ＷＣＲＰは内面の仕事（より大きな霊性の力を発揮すること）と外面の仕事（この霊性の力が世界平和と安全保障のため、具体的活動となって表われること）とを密接に結びつけているという点ですぐれた活動を認識し、各宗教間でこうした活動ができるよう奨励する。

ＷＣＲＰは宗教間活動を通じての和平活動のために霊的次元を強化し、指導性と指針を得る。

ＷＣＲＰは個人（特に若者）に、自分の宗教と異なった宗教文化（例えばキブツ、仏教の僧院など）を体験する機会を与える。

などを勧告した。

宗教問題部会とは各国の紛争地域の確認を行ない、中東問題、社会主義諸国における宗教との協力、アジアの諸宗教などについて討議し、紛争の分析ならびに解決法について次の結論を出した。

①人間性に抵触する全ての形の暴力の全面的拒否。

②暴力紛争が継続している場合には、残酷性を軽減し、苦しみを軽くし、暴力の被害者の家族を援助するため、可能な限り全てのことがなされなければならない。

③宗教は政治機構と一定の距離をおき、政治権力または政党によって利用されることを自ら拒否する。これによって、社会の全ての構成員のための予言者的機構を果たす。

④いくつかの宗教は、個人またはグループのレベルで社会において非暴力を実践するためのイニシアチイブをとっているものがある。ＷＣＲＰはこれらから学ぶべきである。ＷＣＲＰは宗教を異にする人々が一堂に会し、反省と行動を起こす機会を造ることにある。」（中外

日報より）

というような発表がなされて、世界宗教者平和会議が、やっと、宗教者の会議らしくなってきたのであります。

個人と人類の霊性開発と

人間というものは、霊性と物質性と両面をもってこの地球界に生きているのでありますが、常に霊性というものは忘れ勝ちになって、物質人間、肉体人間としてのみの生き方になってしまうのです。そこに宗教的生き方ということが必要になって、霊性の開発を人間の中に求めるのであります。

世界宗教者平和会議が、霊性の開発を打ち出したことは、当然なことで、はじめからそういう出発をしてゆくべきだったのです。しかし一体霊性というものはどういうものなのであろうか、と改めて思いみますと、判っているようで判っていない、むずかしい問題なのです。

肉体というものは、眼に触れ、手に触れるので、そのまま判りますが、霊性といいますと、手にも眼にも触れないですから、非常に判りにくいものなのです。判りにくい為に、今日迄、物質主義、肉体主義の人類が、地球の運命を握ってしまって、霊性を生かして生きるということが甚だ少くなってしまったのです。

五感に触れない霊性というものを、一体どうして人間の生活にはっきり打ち出してゆくかということになりますと、これがなかなかむずかしいので、古来からの聖賢が身を投げ捨てて、人類に霊性開発を教えてきたのです。

それが仏教では坐禅観法による空(くう)になる方法を教えたり、山に籠り、滝にあたっての心身滅却の法を得ることに専念したり、浄土門のように、念仏一念において、霊性そのものになってしまう方法を行じつづけたりしたのであります。キリスト教では勿論イエスやマリアを通して、霊性の人間になってゆくことを教わったのであります。

宗教の霊性開発の道は、このようにすべて、祈りによってなされたのでありますが、この祈りということが誤り考えられて、単なる願いごとにされてしまって、地球の運命を変える程の力があることなど、多くの人の考え及ばないことだったのです。

今日まででも今申しあげているように、個人的な霊性開発はいろいろの方法でなされていたのでありますが、これが国家間のこととなりますと、まるで肉体人間一辺倒になってしまいまして、霊性人間というような立場から考えてみるというようなことが、まるでなされなくなってしまうのであります。霊性ということを考える暇もない程、肉体人間集団としての自国の利害関係を考えてしまうのであります。

そうなると、霊性開発された僅かな人だけでは、この勢いをどうにも抑えようがなくなってしまって、戦争につづく戦争ということで地球の運命が展開されているのであります。ですから、今日ではもう個人の霊性開発だけでは、肉体人間観の集団の勢いにはどうにも手が出ませんので、肉体人間観の集団の力と同じような、集団の霊性人間の力を出してゆかなければ、地球はやがては戦争で滅びてしまうことになるのです。

今日最も必要な行

そこで、集団の祈りこそ、今日最も必要な人間の行となってくるのであります。世界平和の祈りこそこの必要性によって生れ出た祈りなのであります。

坐禅観法によって空になり、霊性の人間になってゆくのも、イエスやマリアの名を唱えて、神の使徒となってゆくのも、念仏一念で、自己をみ仏の中に投入してしまって、各人の運命をみ仏そのものの生き方に同化してしまう仏教浄土門の生き方も当然、真の祈りとしてよいことなのですが、いずれも、個人個人の祈りとして成功していることで、社会国家というような集団の祈りとしては取り扱われておりません。

今日では個人だけの救われということが成り立たなくなっておりまして、国際間の争いで核爆弾でも使われれば、どんな個人も人類の中の一人として災害を受けることになってしまいます。尤も救われの境地に入っている人は、肉体の消滅だけで不幸感などないでしょうが、個人の祈りが、人類救済の面で力のなかったことは、今日の祈り方としては、もう遅れた在り方ということになります。

個人人類同時成道、という救われ方が、今日からの宗教の祈りでなければなりません。個人の祈りが、そのまま人類救済の働きになっている、という方法がとられなければ、地球はやがて滅亡してしまうのです。

そこで私は、祈りの中で最も易しくできる浄土門の念仏の形をとって、これを今日の最も重要課題である、人類救済、地球人の進化ということとそのまま結びつく、祈り方を見出したのであります。それが世界平和の祈りなのです。

肉体人間としての自分を神さまに返す

人間は本来神の分生命（わけいのち）でありまして、業（ごう）の波に左右されるものではないのに、あたかも業生の人間のように、善悪混交（こんこう）の波の中で生活しており、自我の集りのように国家というものの中では、すっかり神性を忘れ果てて、他国の損失を顧みず、自国の優位を確立しようとしてお互いが武力で競い合うようになってしまっているわけで、本来の神の子の姿をこの地球世界で実現する為には、現在の在り方を祈りをまで含めて、改めて見直さなければならないのです。

見直し、見つめた結果が、肉体人間として地球界で生活している自分たちを、一度生命の親である神様にお返ししてしまおう、ということになり、浄土門の念仏のように、神様（阿弥陀様）というように、神様だけを自分の心の中に住まわせるようにしたのであります。しかしこれだけでは念仏行と少しも変わることはありません。そこで、ここからもう一歩進んで、現在地球界の人類が何を一番望んでいるか、ということをみつめつづけたわけです。そして、現在の人類の一番望んでいることは、世界人類の完全平和ということであることが、はっきりしてきたのであります。

神様にとっては人間はすべて御自分の子供なのですから、子供たちの平和を欲しているにきまっています。そこで人間側から、神様の生命に感謝しながら、世界が人類が平和でありますように、と祈り言を唱えはじめたのであります。ここで神様のみ心と人間の想いとが全く一つに結ばれまして、神霊の世界も物質の世界も一つの光の流れになってきました。そこで、世界平和の祈りが人類に広く伝わりますと、そのまま地上天国誕生ということになってくるのです。

霊性が開発されると同時に物質界の流れも、神のみ心の完全性の方向に動いてくるのが、世界平和の祈り、ということになるのであります。

神のみ心が人間の心の中で生き生きと働く

世界人類が平和でありますように、という一言の祈りは、願望であると同時に、人間の行為そのものともなっているのです。一日二十四時間プラスアルファー平和の祈りが個人個人の心の中で鳴りひびいていることは、神の完全なみ心が、個人個人の心の中で生き生きと働いているということで、その光明波動が、地球界の物質波動を光明化して、業(カルマ)の波が、神のみ心の波となりきってゆくのであります。

今日からの宗教は、精神界だけの幸福で、物質界の幸福は現われてこない、というようなものではなく、精神界も物質界も共に幸福になる祈りそのものの行為が、日常茶飯事に生きてくるのです。

今までのように、神を遠くに離し、み仏を深々としまいこんで、只精神的にだけの幸福感に浸っていたり、或る特定の人だけしか昇れない空の境地で独尊(どくそん)の生活をしているようなことでは、いつか地球の滅亡と共に、その人たちの肉体も消滅してしまいます。

世界平和の祈りは、そこのところを乗り越えて、霊性が開発されると共に、物質界の生活も開発されてゆくことになるのです。何故かと申しますと、神と人間との一体化が、世界平和の祈りによってなされますと、神の完全なるみ心が、神霊の世界から肉体人間の世界まで、すっきり通るようになり、今まで神のみ心の現われるのを邪魔をしていた、業(カルマ)の波が、神の光明波動によって消されてしまうからなのであります。

世界人類が平和でありますように、という幼児にも判る一言が、神霊の世界の言葉でもあり、肉体人間界の言葉でもある、という自然なひびきが地球世界を光明波動で洗い浄め、人類の理想を達成することにもなるのであります。

どうぞ、みなさんもそのことを理解なさって一人でも多くの祈りの同志をつくって下さるようお願い致します。

祈りによる世界平和運動の在り方

昭和55年3月〈白光〉発表

真の祈りが必要

祈りということも、平和運動ということも、真実の在り方が判らずに、突き進んでいる人が意外な程多いのです。

そこで今回はこのことについてくわしく書いてみたいと思います。

祈りということは度々申しておりますように、只単なる願いごとや、おまじないではありません。神仏の生命顕現、つまり神様から分けられた人間のいのちをはっきり出しきった生活をすることでありまして、それにはいろいろの方法があるわけです。手を合わせることもあるでしょう。頭を下げることもあるでしょう。神社仏閣に詣でることもあるでしょう。しかし、その根本は、すべて、神仏との一体化の実現の為でなければなりません。神仏との一体化とは、神様から頂いている生命をそのまま真直ぐに現わしてゆくことです。

そう致しますと、神様のみ心が地球上に実現してゆくことに、一人一人の人間が正しく役立っていることになるのです。現在の人間の世界は肉体身で生活していますので、肉体生活の自由や便宜（べんぎ）を、つまり肉体生活上の御利益を与えて貰いたいという願望が誰の心にもあるので、それが神社仏閣への参拝になったりするのでありますから、この想いも仕方がありませんが、常にその底で、真の祈り心になっている必要があるのです。

今日では、真の祈り心になって、神霊の力を十二分に出して頂いて肉体人間の応援をして頂かなければ、地球は滅びてしまうような時代ですから、どうしても真の祈りが必要なのです。そのことを知らない人は、祈りを、只単なる願いごとと思い違いしていまして、祈ったって何んになる、祈りなぞに頼るな、などと、祈りを馬鹿にするのですが、今日の世界情勢をみて、肉体人間の力だけで、一体何が出来るかということを、よくよく見定めてから、ものを考えて貰いたいのです。

わが平和運動は徹底した光明思想

平和運動平和運動と叫んでいながらも、肉体人間だけの平和運動などは、平和運動をしている人たちが、二派にも三派にも分れて、自説を強調し争わんばかりの有様です。平和ということは平らかな、調和した生活ということで、その心に争い心があっては、平和運動にはなりません。相対的な気持で、自分たちの気持を押しつけてゆくのでは、お互いに調和するわけがありません。

しかし、ソ連のアフガニスタンへの侵攻などのように、明らかに他国を侵かしていたり、イランの人質作戦のような、常識的な心からみて、不調和そのものであり、自国本位の在り方をみては、誰しも、その在り方が誤りであり、世界平和を乱すものであると難じることは当然なことです。こういう行為を非難することは、相対的というより、もっと根本的な、神のみ心に反することを、神の子の心がいけないことだ、誤りである、と指摘していることで、単なる相対的な非難ではありません。

私たちの運動の祈りによる平和運動は、徹底した光明思想であり、神のみ心の大調和だけが、真実の在り方であって、他人や他国の不為(ふため)になること、世界の波を不調和にすることを、そのまま放っておく行き方ではありません。しかしうっかりすると、他の光明思想のように、神の子の世界には、敵もなければ、悪もない、不調和もなければ、誤ちもない、というように、何者何事をも拝み通す、という在り方と間違われる恐れがあります。

この世は神のみ心によって創られているのでありますが、肉体人間として人間が物質世界に生活をはじめてから、神のみ心の微妙な生き方から、次第に粗い波動の世界の在り方にならされてしまいまして、悪や不調和の世界を生み出してしまったのであります。ですから、この肉体世界には、一応は悪も不調和も、敵も味方もあるわけで、只単にこの世界は神の世界だから、そういうものはない、と言葉だけで言っていても、この世は成り立ってはゆかないのです。私たちの生き方は、この世の有様を、そのまま常識的に認めて、しかしそれは人間本来の神の子の姿ではなく、神のみ心を離れた、誤った想念行為が、神のみ光によって表面に現わされて、消えてゆく姿なのである、として、神の大光明波動の中で、消して頂くことを第一にしているのであります。

そして、人間の想念が、神のみ心の中に入りきってしまうと、その誤っていた人間の状態が、自然と消え去っていって、神の子本来の人類の姿がそこに現われてくるのである、と神から教えられ、それを、世界平和の祈りという祈り言の下に実行しているのであります。

無理のない正しい明るい生活

味噌もくそも一緒、悪も善もない、不幸も災難もない、などと、現われているこの世の姿を無視しての光明思想では、後がつづかなくなって、今度は改めて、人間の行為が悪いから、それぞれの不幸や災難があるのだ、すべておまえたちのやり方が悪いのだ、というような、いちいち人の行ないを裁いてゆく、小乗的な教え方をつけくわえなくてはならなくなってしまって、教えが二分してしまうのであります。

そして、結局何んとなく、偽善者的な生き方になってしまって、心がすっきりとしなくなってしまうのです。この世の姿は、あくまでも善は善、悪は悪、不幸災難は不幸災難、悪い想念は悪い想念として現われているのですから、これを消し去ってしまわぬ限りは、真の光明世界、平和な調和した世界は生れてこないのであります。

痛いものを痛くない、くさいものをくさくないなどと、無理に想ったりすることは、長つづきすることではありませんので、五感の世界に感じるすべてのことを、常識的に受けとめて、そこから、神のみ心の大光明世界に飛びこんでゆくことが、大事なのです。

すべての物事を、過去世からの因縁の消えてゆく姿として、平和の祈り一念の生活をしておりますと、自然に無理なく、正しく明るい生活ができるようになり、光明波動をひびかせて生きている人間になるのです。一人一人の人間がみなこのように光明波動をひびかせて生活してゆくようになれば、その国家は平和な調和した国家になり、人類の平和の為に大きな貢献をしていることになるのであります。

何んにしても人間の生き方に無理があってはなりません。どんなスポーツでも無理なフォームではそのスポーツが上手になるわけがありません。無理なく自然に上達してゆく、それが世界平和の祈りの生活なのです。

力には力、歯には歯の世界

ここで再び申し上げます。祈りの無い唯物論者は一体この世の中を、どうして平和にしてゆこうというのでしょう。ソ連のように隙あらば他国領土に自国の権力を拡張させようとして、常にその隙をうかがっている強い武力をもっている国のそういう態度を是正させる為には、アメリカではないが、時には武力をもってしても、その態度を改めさせる、と言っている国もあるのです。尤もそんなことを言えるのは、現在アメリカのような強大な国だけですが、そういうアメリカに協力して、アメリカの向う方向に自国もついてゆく、という国々も多いのです。日本なども武力こそ使わないが、アメリカの在り方に同調してゆく国の一つです。

もし仮りに、アフガニスタンにしても、他の小国にしても、ソ連の兵力が本格的に動き出したら、アメリカはそれを黙っているわけはありません。忽ち自国もそれに対抗する兵力をその地点に差し向けるでしょう。今はもうそういう一触即発の危機が地球上の運命として迫っているのであります。人類を相対的にみている限り、力には力、眼には眼ということになるわけで、嫌でも応でも第三次大戦になってしまいます。

現在のソ連は、軍事上の拠点としての領土を欲して、小国に侵入しようとしているのです。そして今回はアフガニスタンに世界中の眼をはばからず、兵力を侵入させて、次々と小国に自国の権力を拡張しようとしているのです。米国がそれを黙ってみているわけはありませんし、侵略される恐れのある小国の多くは、ソ連のアフガニスタンへの侵略を批判しているわけで、日本もソ連に抗議していますが、ソ連が世界の抗議を無視して、そうした態度をつづけた場合、米国は勿論、武力をつかってもこれを阻止します。その時日本はいったいどういう立場をとればよいのでしょう。もう言葉だけでは米国の味方というわけにはゆきません。経済的に動いて味方するだけでも、米国の大きな力にはなりません。両方に味方する小国の韓国あたりでも、米国の軍事力の応援をすることになります。いわゆる第三次大戦です。

地球を亡ぼしてはならない

第三次大戦となりますと、第二次とは違って、核兵器というものを両陣営共多量にもっています。嫌が応でも地球は焼野原になってしまうわけです。一挙にそうなってしまうか、はじめは核兵器を使わず、第二次大戦程度で戦うか、そうなれば、日本など、先ず北海道はソ連に侵入されてしまうことは明らかです。日本人の大方は、再び戦争はしまい、と心にきめていますので、ただでさえ、ソ連の兵力に及びもつかない自衛隊の抵抗を、支える力がないということになります。米国は日本だけを守るということはとても出来ません。自国の味方の方々の小国を守って戦うわけで日本はやはり日本の兵力を充分に出しきって戦うということになりますが、その兵力というのが現在の自衛隊の力ということになり、その上戦う気力のない国民が大半なのですから、負けてしまうのは火を見るより明らかです。核兵力を使い合えば、一挙に世界中が滅びてしまいましょうし、核兵力を背後にしての前哨戦だけでも、日本などはソ連のよい餌食になってしまうのです。といって今から国民が喰うや喰わずで、軍備拡張の為につくしたとしても、ソ連の兵力に及びもつかず、やはりたいした相違はありません。それに何しろ国民の想いが、戦争を極度に恐れているからです。しかし恐れてもやってくる戦争だったら、日本人は一体どうしたらよいのでしょう。無抵抗でソ連の想いのままに国を任かせてしまうか、戦いつづけて玉砕するか、どちらにしても、大変なことになってしまいます。

どんなに眼をつむり、耳をふさいでも、日本はソ連に狙われつづけていることは間違いないことで、同じような大国でも米国は日本を自国の味方として、日本をみつづけております。反対側からみれば、米国もソ連同様、侵略国にみえるでしょうが、日本にとっては味方なのであります。

こういう見方をすることが、もう相対的なことで、日本だけでなく、地球世界を滅亡させる見方なのです。そして、こういう見方生き方を、現在の地球人類はしつづけているのです。

こういう見方生き方をしているうちは、戦争を逃れようとしても、戦争にぶつかってゆこうとしても、どちらにしても、地球を滅ぼしてしまうのです。しかし、実際はそういう方向に世界は動きつづけているわけです。

見ざる聞かざるでは困る

日本人の大半は、そういうことに耳をふさいで、自分たちの感情の喜びだけを追おうとしているのです。そして、自分たちの奉仕はなるべく少くして、国からして貰うことを多く望んでいるのです。現在の日本は個人的な感情を喜ばせる生活などより、どうしたら、国家を世界の為に役立たせるか、ということのほうが重大なことで、その一番根本なことは、世界を戦争にひきこまないことです。そこで、ソ連の侵略や、イランのやっている、人道に反する行ないなどに、はっきり強く抗議し、そういう行為を世界中力を合わせて、阻止してゆかねばならないのです。

米国にしてもソ連にしても、軍事力を背景にして、世界に臨（のぞ）んでいるのですが、この二大武力の比重が傾くと、武力の強くなった方が、嵩（かさ）にかかった、自国の権力を強めようとして、小国への侵略をはじめます。日本など経済的には大国並みですが、軍事力は小国並みですから、何んとかしてこの武力に侵かされない何かの力を持たなければなりません。

肉体人間の集りの日本には今、ソ連の侵略を防ぐ何んの力もありません。米国と安保が唯一の頼みで、米国の武力が、ソ連に劣ってきたりすれば、心配でたまりません。現在はいつ日本がアフガニスタンのように侵略されないとは限らないのです。こういう危機に際していながら、日本人の呑気さ加減は呆れたもので、眼の前の自分たちの生活のことだけ考え、自分たちの感情の喜びだけを追っています。一体国が滅びてしまったらどうするつもりなのでしょう。ソ連が侵略してくることなどない、といっている共産主義の人たち、他国への侵略は我がこととは全く無関係のように考えている人たちや、平和運動はしていても、ソ連が攻めてくることはないなどと、実に安易に考えている人もいます。

しかし、日本が武力を強めようと、弱めようと、そういうことには関係なく、ソ連が米国に対抗して、少しでも優位を保とうとして、日本を自国の領土にしたい、と思っていることは間違いないことで、クナシリやエトロフ、などの北方領土はすでに戦略基地にしているのであります。

光明波動を発する存在者

日本は今こそ、肉体人間だけの日本という考えから、それこそ神国日本ではないが、自分たちがこうして生きているのも、日本という国が存在しているのも、みな神様のみ力によるのであって、神様の力がなくては、ソ連に侵略されるどころか、一日もこの世に存在していることはできない、ということを改めてじっくり考えて、世界平和の為のしっかりした生き方をつくりあげてゆかねばならぬのです。

よくよく考えてみて下さい。いつも申しておりますが、人間はすべて他動的力によって生かされていることは事実です。空気、水、等々、大宇宙の大自然の力の中で生かされている人間、そして大宇宙そのものであり、大自然そのものであり、生命そのものである絶対者の大叡智の外にいて、生きていけるものがある筈がないのです。

米国もソ連も何処もここも、何ものも、神の力が根源になくては絶対に動けないのです。

その神の力の中に入りこんでしまうことこそ、如何なる武力の侵略にも天変地変にも侵かされることがなくなる方法なのです。

人間は神の力によってのみ生かされているのだ、ということを改めて考え直して、今からでもよい、神様ありがとうございます、と真剣に神への感謝の想いを、瞬々刻々出しつづけてゆくことです。そして、世界も自分も共に平和で生活してゆけますようにと、世界平和の祈りをしつづけることです。もう今日では神への全託の祈りだけが、この地球世界を生かしてゆくことであることは間違いないことが実証されているのです。

人間の平和の祈りは、そのまま神の大光明波動と一つにつながってゆきます。祈っている人間は、そのまま光明波動を発している存在者となっています。光明波動の働きの前には、自分勝手な不調和な争いの想いなど、存在しようがなくなるのです。いかに大国が強大な武力を持とうと、その武力が役立たなくなってしまうことが、大光明波動の前進によってやがて明らかになるのです。その一人の人間として、貴方もあなたも、今から速やかに世界平和の祈りを、祈りはじめて下さい。それ以外に人類を救う道はないのです。しっかり考えて下さい。

世界人類が平和でありますように
神様ありがとうございます。

人類を危機から救う力

昭和34年2月〈白光〉発表

大国間の闘争心に利用された科学力

今年は宇宙時代の第二年目であるというように、先日もテレビの対談でいっていましたが、地球人類の科学力は、今や人工衛星から月ロケットまで進んできています。しかしそうした折角の科学力の増大も、常に軍備という目的の為になされているのですから、実に悲しむべきことであります。

現今の地球人類は、頭でっかちの尻つぼみとでもいいましょうか、頭の先きで眼に見える世界の利害関係ばかり考えて、じっくり心の底、つまり本心からの智恵で事に処してゆこうとはしていません。ですから形の世界では非常に便利に、非常な高度の文明の華を開かせながら、次第に追いつめられた、息づまるような雰囲気の中での生活をつづけてゆかなければならなくなっているのであります。

形の世界、現れの世界だけの問題を処理してゆこうとして、形や現れの世界だけを突っつきまわしているうちは、それは業生(カルマ)の世界で輪のように廻っている世界ですから、こちらを押せば、あちらがふくらみ、あちらを突けば、こちらがへこむというように、いつまで経っても、争いの世界、苦しみの環境をぬけ切ることはできないのです。

ですから、米国やソ連の力で、人工衛星ができ、宇宙ロケットができたけれど、これはたいしたことには違いはないがこれが業生の世界、苦悩の世界、闘争の世界をぬけ出でて、真実の世界平和の基になる科学力の成功ということにはなりません。

これはお互いが相手の軍備に勝とうとしての闘争心から生み出している兵器の域を出ていないからです。そうした業想念で科学力を推進してゆけば、やがては自らの力で自らを滅ぼしてしまう愚かなる悲哀を地球人類は味わってしまうのであります。

ところが、現実面では、このような米ソの科学力、財力が世界の頂点に立って、地球人類をひっぱっているので、そうした力の前には何処の国家も正面切って立向うことができないのです。もしまともに立向ったとしたら、それが直ちに世界大戦の導火線となってしまいかねません。

興奮的感情からの強がりや民族意識は地球世界と国家を誤たす

そこで、日本をも含めた小国家群が、そうした自分たちの実力を正直に認めて、現在もっている自分たちの力では、米ソがどのような利己主義的な態度に出ても、結局はどうにもならないのだということを知ることが大事なのであります。

その事実を認識しないで、いたずらな強がりや、民族的誇りで押してゆきますと、いつの間にかぬきさしならぬ事態にその国家や民族を追いこんでしまうと同時に、地球人類破滅への一役をいつ知らず買っているという立場に置かれてしまうことになってしまうのです。と申したからといって、何んでもかんでも小国群は米ソのいう通りに動いていればよい、という意味ではありません。只現実の自国の能力や世界の動きをはっきり虚心に認めて、その現実のはっきりした自国の立場から未来を見通してみなければいけないと申すのです。

一番いけないのは、一時的な興奮的感情や深い慮(おもんぱか)りのない虚栄的強がりなのであります。

岸首相が、日本は世界的に重要な立場にあるので……といっておられたが、日本は一体どういうところが世界的に重要な立場なのか、その所見をお聞きしたいと思っているのですが、只単に米国にとってソ連を抑える為の重要な拠点であり、能力ある国であるとか、自由諸国にとっての地理的要(かなめ)であるとか、工業国として重要であるとかいうような、そうした現象的立場からみてそういわれるなら、私はそうした考え方では日本の真実の重要性がわかっておらない、どこの国家でもがいう自国礼讃に過ぎないと思うのです。

現今の政治家たちが、どのような根柢のもとに日本の政治にたずさわり、どのような日本救済の成算があって代議士となり大臣となっているのか、果して今日のような心の在り方で日本を救い、世界人類に尽くすことができるのであろうか、等々を考えてみますと、心ある人は何人といえど、明るい気持にはなり得ないと思います。

砂上に楼閣を築く愚

それは日本ばかりではなく、何処の国々でもみなそうではないかと思われます。何故かと申しますと、いずれもその立っている基盤根柢がしっかりしていないからなのであります。

砂上にいて楼閣を築こうとする愚をいずれの国家の政治家たちもなしつつあるのです。現今の政治は自国の政治が直ちに世界の政治につながっているのであり、世界の動きは必然的に自国の運命に関係してくるのであります。もはや自国だけの幸福と云うものは考えられなくなっているのです。そう致しますと、前に申しておりますように、米ソの二大強国の動きに関係なく日本が動き得ることはできなくなっているという事実を、誰でもうなずかずにはいられないのであります。

国や世界を二つに分けてしまってはいけない

さてここで日本人の立場として、理想論ではなしに現実的に、こうすれば日本は救われるのだ、という方法を教えられ、実行させ得る人が一体あるでありましょうか、私は残念ながら皆無なのではないかと思うのです。私自身も肉体人間としての政策ではどうにもでき得ないと思っているのです。

いつも申すのですが、ここのところが一番大事なところなのです。肉体人間の智恵や知識だけでは、もうどうにもならない最後の段階にきているのだ、ということを真実に心の底から悟ることが、政治家にとっても、一般の人々にとっても一番大切なことなのであります。ちなみに日米の安保条約のことについて申してみますと、条約を改定して、小笠原や沖縄を日本の権限内に置くことに致しますと、これは直ちに小笠原、沖縄の防衛は日本が主としてなさねばなりません。小笠原、沖縄に戦火があれば、当然日本全土も戦争状態に立ち至ります。勿論米軍はこれを援けて戦いますが、これは必然的に核兵器戦争になると考えねばなりません。それが嫌なれば、今まで通り小笠原、沖縄は米軍の管理下に置くことになり、日本の事実上の権限はなくなります。という工合に一方のプラスはすぐに他のことでのマイナスになってくるので、現実的にはマイナスの尠い方を選んで事に処さねばならぬだけで、直接日本のプラスにもなり世界人類のプラスにもなるというわけにはゆきません。

再軍備の問題でもそうであります。今はもう核兵器時代で、今日迄のどんな兵器を多量につくったとてどうにもなりはしない、かえって相手の憎しみを買うだけで危険至極だという人々と、軍備がないから韓国にまで馬鹿にされるのだ、ソ連は米国を爆撃しても日本は無傷で取って、その生産能力を利用したいのだから、当面の相手として韓国への防備のために軍備を拡張すべきだ、という人々等があります。

ソ連が日本をどうするかは、向う様の考えで、日本を原水爆攻撃をしないとは誰も保証できぬわけですから、日本は無傷でいられるという考えもどうかと思います。このように二つの答を出されると、一般民衆は一体どうしてよいか判断に迷って、どうしても二派に分れてしまうでしょう。

こう二派に分れては日本自体の調和も平和も成り立ちっこはないので、議会での自社の争いが国民一般の中にまで持ちこまれて来るような状態になって、日本が世界平和の為になるどころか、米ソの争いの中間地帯となってしまいます。

日本の政治が現在の自民社会の両党のように事々に対立しているようでは、どんな人が首相になってもうまくゆきっこはありません。国内が対立しているようでは、世界の平和などは到底できる筈のものではありませんし、そのこと自体が平和をこわしているともいえるのです。

ですから如何なる名論卓説も、それに対抗する理論や方法があっては、どうしても相対的になって相争うことになってきます。

ところがこの地球人類の肉体的知識や智恵から生れた方法は、まして政治の問題になりますと、どうしても相対的にならざるを得ないのであります。一国内だけでもそうですから、これが世界の政治ということになると、その国々の利害が必ず対立するのですから、相対的になるにきまっております。

相対を超えて絶対神に全託せねば平和は来ない

こうした相対的な生き方や利害関係を別々にした生き方を超えるためには、どうしても各人間、各国家の頂点に絶対智をもつ一なる力を見出さない限りは駄目だということになります。この力が即ち絶対神、一なる神ということになります。

この絶対神、一なる神を認めないうちは、人類は真実の平和をつくりだすことはできません。否、一なる神を認めただけではいけない。一なる神に自己や自国の理念行為をすべて委せ切って、その委せ切ったところから、行為してゆくようにしなければ、どうしても自己の小我が現われ、自国の我欲が行為に出てきてしまって、やはり相対的な生き方になってしまうのです。米国のアイク（アイゼンハワー大統領）やその他のクリスチャン閣僚が、神を認めながら、神に祈りながらも、相対的な敵対行為を基本にして政治しているのは、神を認めながら、神にすべてを全託していないことからくるので、そうした境地でいる限りは、神を認めながらも、無神論のソ連の政治家と五十歩百歩の闘争の圏内をぬけだし得ない政治をとってしまい、核武装や、その実害のはっきり認められているその実験をやめようとしなかったりするのであります。

ところが、実際問題とすると、ソ連は無神論で勿論神への全託などするわけがありませんが、米国とて、今のようにソ連と睨み合っての武力争いをしている現在の境地からは、急に神への全託などはできっこないと思われます。

また個人個人のことを考えましても、神を認めている人々のうちに、全託の境地にまで入っている人がどれ程存在するでありましょうか、殆んど僅かな人々よりいないのではないかと思います。無神論者は勿論問題ではありません。

と致しますと、有神論者にしても全託という境地に至ることはむずかしいということになります。しかし神への全託というところから新生しなければ、個人も国家も人類も、相対的な生き方の上に立っての生存であり政策であるのですから、肉体人間的智恵知識による自己保存になります。従って真実の調和、真実の平和という世界は永劫に来ないのであります。

それは現在の米国の姿を見ればよくわかります。人間智恵でもがけばもがく程、闘争様式が複雑になるだけで、地球人類の一瞬間における壊滅の様相を深めてゆくだけで、個人も国家も安心立命の境地を遠ざかってゆくだけなのであります。

一口にいいますと、現在は地球人類にとっては、過去からの業想念所業に追いつめられた絶体絶命の境地に立たされているのであって、道元禅師のいっているように百尺竿頭一歩を超えなければどうにもならない、空になって全託しなければどうにもならない生命の瀬戸際に来ているのです。

この事実を皆さんは直視して、正直にみつめなければいけないのです。もう理論ではごまかしのきかない時代に立ち至って来ているのであります。

このままの生き方では滅びる、といって空になることも全託することもむずかしい、ということになりますと、一体どうしたら肉体人間は救われることができるのであろうか、と寒々とした気持になってまいることでありましょう。

守護神信仰の必要性

さて、ここからが守護神の必要性、守護霊存在の大きな意義が生れてくるのです。キリスト教のイエスのみ名を通して救われる、マリアを通して救われるという信仰の在り方は守護神信仰といえるのであり、真宗の阿弥陀仏信仰も一面守護神信仰といえるのであります。

肉体人間と大神様（絶対神）とをつなぐ光の柱が守護神であり、光の糸目の一筋一筋が守護霊であるといえるのです。もう現在にまで追いつめられてまいりますと、守護神、守護霊、つまり肉体人間以外の他からの救済者がなければ、絶対に救われなくなって来ています。内なる神（本心、生命力）を自己の想念所業だけで全面的に「開顕」することは、空になることや全託することが至難なことであると同様に非常にむずかしいのであります。何故かと申すと、本心を取りまいている業想念（肉体保存の為の諸慾望）がありすぎて、余程に意志力の強い清らかな人でも、なかなか全面的本心開発はできにくいのです。それはアイク大統領がクリスチャンでありながら、上衣をうばう者があったら下衣をも与えよとか、右の頬を打たれたならば左の頬をも差し向けよ、とかいう絶対愛を受けながらも、自己及び周囲や国家的業想念に敗けて、ソ連と兵器競争をしているのと同じでありまして、理論的なことが現実化することのむずかしさを示しているのです。

天の理想を現実化するには、このようにどうしても肉体人間のみの智恵や知識だけではどうにもならぬ程業想念（迷い）の波がこの地球世界を蔽っているので、どうしても他からの救済の力が必要なのであります。いいかえれば、地球人類の業想念を消し去って下さる観世音菩薩の働き、救世主の働きが、今日ではどうしても必要なのであります。

そして今日の為に大神様は、救済の大光明を地球人類のために輝かせしめるべく、意図されておられたのであります。今日までても守護の神霊は常にその光明を地球人類に投げかけていたのですが、神霊のすべてが、一つになって働きかけて来るには、肉体人間の業想念がまだ表面に現われ切っていなかったので、今日のようにすっかり表面に現われ切って、もう寸時の猶予もできぬ、という時期に至って、もうこの辺で宜しいということになり、今まで地球人類に働きかけていた神霊が一つになって地球界の業想念消滅の為に働きはじめたのでありますが、その神霊群に加えて宇宙人と称されているグループの神霊的人類が地球人類救済の面に働きかけて来ているのであります。

守護神霊が働きかけやすくなるためには

もう現今の段階では、仏教哲学やキリスト教神学等によって、頭の中での知的欲求を満足させていればよいという時代ではなくなっているので、只ひたすらまず地球人類の壊滅を防がねばならぬ段階になっているのです。ああだこうだといい合っている宗教理論などは沢山なのであります。そんな理論は絵に画いた餅でありまして、実際に一般人の誰もが、日常生活そのままで、人類救済の一役を買えるという方法だけが必要な時になって来ているのです。

唯物論は勿論、有神論も、空(くう)の境地、全託の境地にならなくては、個人も国家も人類も救われない時に当って、そうなり得ない業生世界に住んでいる肉体人間、地球人類にとって、只一つの救われの方法は、守護の神霊の大光明、救世の大光明の光とに輝かされて、自ずと業想念が消し去られ、個々人にとっては本心を、国家民族にとっては、本来の各自が神から与えられている本質的役割を発現し得るより他の方法はないのであります。

他に方法があると思われる人は、人の頭を借りずにじっくりと自己の頭脳で考えつづけてみて下さい。

自己の能力ではどうにもならぬものだ、ということがはっきりわかって来た人々が多くなればなる程、守護の神霊団体、救世の大光明の働きがしやすくなるのであります。何故かと申しますと、自己の能力ではどうにもならぬものだという想いが強ければ強い程、神に全託する度合が人間の心に強まって来るからです。そうして神を想う心一念になりますと、現在地球人類に働いている人類守護の神霊団体の光明をうける割合いが多くなり、その人はいつの間にか、立派な神の器(うつわ)となって、自己の肉体を通して救世の大光明の光を周囲に放射していることになり、自己が安心立命できると同時に自己の周囲を自ずと浄めていることになって来るのです。そして自己の行為そのものも自然と神のみ心である愛と真の行為になり、勇気と直感力が強まって来るのであります。

これは空になれ、全託せよというむずかしい方法より、巧まず気張らず、いつの間にか自分の想念行為がくるりと転回して、神の子仏の子としての想念行為になって現われて来るのです。如何に守護の神霊が働いて地球人類を救済しようとしておられても、地球世界の住人である肉体人間がその気にならなくては、どうにもならないので、地球人類の救済の主体は、あくまで肉体人間が主であるのです。

そして肉体人間の想念をいち早くそうした守護の神霊の大光明につなげる、つなぎの役目として肉体を持った人々がこの世に現われているのであります。そうした人々は各国に存在するのですが、日本のように戦いに敗れて、軍備力も財力もみじめな姿になっていて、自力ではどうにも米ソのような大国の上に立ち得なくなっている国家こそ、最も守護の神霊につながりやすい立場に立っているのです。それは只今申しましたように、自己の力の無力なことを悟れば悟る程、神の力、救世の大光明にむかう想念が強くなるからであります。

それに日本には古来から観音信仰のように、只一筋にすがれば自己を救済して下さる救済の神への信頼心が培(つち)かわれているので、今日のようにこうした瀬戸際に立つと、そうした信仰心が強力になりやすい国民性をもっているのです。それが迷いの面に働くと、戦後急速に発展した低級なご利益主義の宗教団体への信者の増加となったのであります。しかし今日のように世界の運命が直接個人につながっているのだということが、原水爆兵器や、人工衛星、宇宙ロケットというような時間空間を超越しそうな科学力をみせつけられて、次第にはっきり各自が自覚できるようになって来ますと、戦後数年間に発展したような、理論も科学性ももたぬ低い宗教団体への信仰から、随時高い宗教への関心をもちはじめて来るのであります。

相対的でなく一つになれる方法

そこで私への神界からの役目は、消えてゆく姿の教えと世界平和の祈りへの一般大衆の参加という役目であります。消えてゆく姿の教えは毎号の白光誌に書いておりますし、表紙うらの教義にもはっきりうたってありますように、人々の心から業想念所業を消し去ろう、如何なる業想念所業も、それは本来の人間の心、本心とは違っていつか消え去ってゆくのである、という真理の言葉によって、業想念から意識を放させよう、業の緊縛を超えさせよう、としているのであります。これには守護の神霊のお働きが必ず業想念を消し去って下さるのだから、人々は守護の神霊の感謝だけを抱いて日常生活をしていれば自ずから安心立命の生活ができるのである、という裏づけがしてあるのです。

これが世界平和の祈りの教えになって、世界平和の祈りの中にすべての業想念をも投げ入れさせる生き方を指導するように進展して来ているのであります。人々が相対的にならずに一つになれる方法、それは世界平和の祈りによる他はありません。世界平和を望まぬ人は狂人の他にはいないからです。これは単なるご利益などではなく、個人の魂の救済から来る肉体生活の安心であり、国家人類への知らず知らずの利益となってゆくのです。

個々人の肉体人間と守護霊、守護神とが一体であり、その一体であることをわかるためには日常茶飯時にも常に世界平和の祈りを心にもちつづけてゆくことが大事であることが、私をはじめその道を通って来た人々には体験としてよくわかっているのであります。そしてその世界平和の祈りが、実際に地球人類を救う最も重大な祈りであることも、月を経、年を経るごとに、はっきり事実として現われて来るのです。

ねてもさめても世界平和を祈るべきものなり

私が断乎としてこういいつづけておりますのは、守護の神霊団体の働き、救世の大光明の働きを、私がはっきり私の体験として知っているからであります。守護の神霊の働きなくしては地球人類は絶対に救われない。国家も世界もすべて守護の神霊との全きつながりによって救われるのであって、業想念的、肉体人間智恵による相対的所業では到底駄目なのでありまます。

人類を救うのはもはや世界平和の祈りによるより他はないのです。祈るのです。祈るのです。祈りに祈るのです。世界平和の祈りの中に守護の神霊の大光明、救世の大光明の働きが縦横になされるのです。世界平和の祈りに明け祈りに暮れることから個人の安心立命も、世界人類の平和も自ずと開けて来るのです。これが巧まざる力まざる神への全託となってゆくのであります。

やがて守護の神霊のみ姿を一般の人々も五感に見うる日が来るでしょう。それは宇宙人という名によって現われるかも知れません。如何なる名前で現われようと、やがて天から救済の天使は現われて来るのです。その時にその神霊たちと手を取って働ける肉体人間に私たちはなっていなければなりません。その方法は只一つ、世界平和の祈りによる日常生活なのであります。

真実に世界を平和にする為には

昭和40年10月〈白光〉発表

物質文明の発達による利害

人間が、自分自身を不幸にしている一番の原因は、把われる想いでありまして、何事何者にも想念が把われず、それこそ行く雲流れる水というような心境で、さらりとした澄みきった日々を送っていられれば、その人の環境が、他の人からみてどのような不幸な状態に見えましょうとも、その人にとっては、何等の不幸感も無いわけなのです。そして、もう一歩進めば、そのような悟った心境で日々を送っている人は、過去世からの業因縁の現われである、不幸的な状態はやがては消え去って、内的にも外的にも、澄みきった生活になってくるわけなのであります。

ところが、想いに把われぬ、把われる想いが無い、というまでになるには、これがなかなか大変なことでありまして、そういう心境の人がざらにあるわけではないのです。

人間は本来神の子であり、仏子でありますので、完全性を内に備えておりますのですけれど、肉体として現われている現在の自分自身は完全ではないし、道に照してみれば誤りである、と判っているような事柄でも、眼をつむってやってしまわなければ、この世の生活が通ってゆかない、というようなこともしばしばあるわけで、神のみ心そのままにこの世を生ききってゆくということは容易なことでないのです。

それはこの世の動きそのものが、神のみ心の大調和波動をかなりゆがめた、物質波動的な渦の中に巻きこまれて動いておりますので、精神波動と物質波動との調和が破られ、物質波動偏重の世の中となっており、精神波動は物質波動に従属している状態になっているからであります。

精神要素も物質要素もすべて神のみ心から生れでているのですから、いずれも神のみ心の現われなので、偏（かたよ）った宗教観念で、物質を軽蔑するという生き方も誤りなのです。ですから常に精神波動と物質波動との調和した状態ということが、大事なのであります。どちらに偏っても、神のみ心が完全に現われるさまたげになります。

ところが現在の地球人類の指導権は、物質波動偏重の人々の手に握られておりまして、精神生活を主にして生きてゆきたい人々にとっては、何んとも生き難い世の中となっております。

物質文明の発展は、確かにこの世の中を便利にし、肉体の労苦を軽減することに非常に役立っており、五感を楽しませる様々な施設の誕生で、世の中がどれ程明るくなったか判りません。歩いて旅行せねばならぬ時代と電車や飛行機の旅行、映画もテレビもなかった時代と現代の娯楽施設の完備、どうみても、昔の方が便利だった、楽しかった、幸せだったということはいえません。

昔の方がよかったという面からいえば、この物質文明の発展によって失われていった、自然との直接の接触感、交通のスピード化や機械設備の増大による危険感、といったもので、これらの害は昔の伸びのびとした素朴な人間性を失わせていった損失とでもいえるものでしょう。

しかし、これだけの比較では、何んとしても物質文明華やかな現代の方が、昔の時代よりも確かに便利でもあり楽しくもあるわけで、物質文明の発展によって人類は不幸になった、とはいい難いのです。

決定的な損失

物質文明の発展による、決定的な損失といえるものは、精神波動の世界が、物質波動の渦の中の一環として取り扱われてしまったことなのであります。

これはどういうことかと申しますと、物質的損得の場合に、精神状態を少しくマイナスしても、いいかえれば、少しぐらい精神的に嫌な気持がしても、物質的に得をした方がよい、という考え、これは地位や権力の獲得という場合においても同様でありまして、いずれも精神波動が物質波動に従属して働いていることになります。

それから、もっと深く考えて参りますと、物質波動と精神波動とは全く別のものでありますのに、物質的であるこの肉体の脳の中から精神というものが生れてくる、という大きな誤りを、物質文明的な考えからひき起こしてきているのであります。

こう申しますと、すぐにも反撥があります。何んにも無いところに精神があるわけはないのだから、肉体の脳の働きの一つの現象を精神というにきまっているじゃないですか、何をいうんですか、といった工合にです。

こういう考えが、一般人の常識となっているところが、物質文明の発展がもたらした大きな誤りであるのであります。

物質文明の発展は、人間の眼を、大自然から遠ざけて、現象世界に釘づけにしてしまったのです。大自然と直結していて、大自然の心をそのまま心としていた古代の人々の生き方が物質文明の発展に伴って、次第に変化してしまって、大自然の在り方、大自然の心を直接心で感じる生き方が失われてきてしまったのです。

このことが、物質文明発展に伴う大きなマイナス面なのであります。物質文明の発展の根本の力となっております科学の面では、物質を単なる固定した物質とはみず、原子であり素粒子であり、果ては波動である、とまで急速な進歩を遂げていながらも、あくまでも物質という観念から抜けきれず、精神波動の現われてくる根源の方向に、その研究の眼を向けようとはしないのです。

つまり精神というものを、物質を研究しているその同じ方向においてつきとめようとしているのであります。炭素とか水素とか酸素とか窒素とか燐とかカルシウムとかいう、そういう元素の中から精神波動というものを探り出そうとしているのであります。もっといいかえますと、生命要素というものが、物質波動的な元素の中にあって、それらの元素が何等かの科学的変化によって生命となってきた。そして、そうした物質波動から生れ出た生命の働きの一現象が精神波動となっているように考え違いしているのであります。

生命も物質か?

ちなみに、リーダーズダイジェスト昭和四十年十月号に書かれている、現代科学者の生命に対する思考の方向を、抜き書きしてみますと、

〝人間はついに物質から生命への進化のある段階と思われる過程を、再現することに成功した。そして新しい注目すべき理論を産み出した〟という副題で、ラザフォードプラットという人が次のように書いているのです。

「近年、科学者たちは、地球上の生命の起源に関する新しい理論を実証するために、先例のない実験をつぎつぎに行っている。その結果、途方もないことがわかった。宇宙に存在し

た単純な非生物物質が有機物に変ってゆく段階をたどって、現在生きている細胞の多くの特性を有する原始的な細胞に似た組織を作り出したのである。以下はその劇的な物語りである。」という書出しから、地球の発生の状態を説明し「一九二四年にロシアの科学者A・I・オパーリンが、炭素、酸素、水素および窒素の原子が、原生時代の地球の厳しい条件の下でさえ、どのようにして生命の基礎となる分子を構成することができたか、そしてそれらの分子の自己再生群が互いに結合し、またさらに複雑なものへと進化したか、ということから、生命は、有機以前の物質進化のある特別な段階で無生物から非常に長い間かかって発生したものであると発表した。」ということや、「当時シカゴ大学の原子力学者であったハロルドC・ユーリー博士はメタンガス、アンモニアおよび水素が原初の大気の成分であったろうと推論した。彼はこれらの生物体でない原料物質をフラスコの中に入れて、稲妻の代わりに電気の放電をくりかえしひらめかせたら、どんなことが起るだろうかと考えた。一九五三年に、彼の学生であるスタンリーL・ミラーが、いまでは最も権威あるものとなっている実験を行った。その実験の結果、彼らはアミノ酸ができたのを知って喜んだ。

アミノ酸はタンパク質の基礎であり、それゆえすべての生命の基礎でもある。そこで彼らは、生命への進化の最初の段階をきわめたものだと信じた。その理論はこうである。

最初の地球という巨大なレトルトが、泡のようにはかない無数の分子を生じたのにちがいない。しかしアミノ酸は特殊の分子構造のため、その分子は特に安定している。生命の四大要素――炭素、酸素、水素、および窒素――は各アミノ酸分子のなかで、荷電するとよく結合し、実力伯仲のレスラーが組みついたように堅い二つのグループに統合される。このように分離し難いアミノ酸分子は、混沌（こんとん）の中で生き残って、生命のないものと生命のあるものとの間の最初の分岐点となったと考えられる。」ということや、ジョージ・ワルド博士の理論、シドニーW・フォックス博士の研究などを次のように述べています。

「暖かい試験管の上のぬれた場所が乾くと、アミノ酸は、どうにか顕微鏡で見えるほどの長い糸状の物質をつくる。これらは鎖状に変わり、あるものは何百という分子が次々に連結しあう状態をつくり出す。これはプロティノイドと呼ばれた。その電気エネルギーの集合によって、このタンパク質状の鎖状物質は自分で曲がったり、折り重なったりする力を与えられたのであった」というように或る自然の状態を物質に作用させた結果、原料物質がアミノ酸をつくり、タンパク質をつくり、そのタンパク質状のものが、自分で曲がったり、折り重なったりする、つまり自分で動き出したというのであります。そして更に、――「原始タンパク質は生物細胞が出現するはるか以前に存在した。今日の植物や動物の持つ正確に配列されたタンパク質は、数百万年の進化の過程で、そのアミノ酸配列を獲得したのであろう。カルビン博士は、分子生活は最初の生物細胞が出現するまでに二十億年間進化しなければならなかっただろうと推定している。

この大飛躍を真似て、研究室で完全な生物細胞をつくり出すためには、しばらくの時間がかかる。しかしそれはすでに始められているのだ。同一性を保持しながら、自ら分裂することのできる原始的な生物細胞に似た球状のものが、すでにつくり出された。このすばらしい実験は全く驚異であり、そしてこれによって生命の起源を明らかにすることに大きく一歩近づいたと言えよう。

この実験もフォックス博士によって行われた。彼は実験室で発見したものを再確認するために、原始タンパク質が生命前の世界を形成できるような状態の場所を捜しながら、ハワイの熔岩丘に登った。――博士はその熔岩の塊りを実験室に持ち帰えりそしてその上にメタン、アンモニア、および水から合成したアミノ酸を置いた。彼は伝染を避けるためにすべてを殺菌した上で、これをガラスのオーブンで数時間摂氏百七十度で熱した。この温度は熔岩丘の表面で十センチのところで彼が計った温度である」

このようにして実験の結果、地球上に存在する生命の最も基本的な様式である、バクテリアと藍藻類のような、微小球状物がつくりあげられたというのであります。

ラザフォードプラット氏の書いている内容は要約して以上のようなものなのですが、何故私が、長々とこのような文を紹介したかと申しますと、現代の一流の科学者たちの生命に対する思考の方向を示すためなのであります。

これらの科学者の考え方は一様に、タンパク質とかアミノ酸とかいう物質に電流とか、或る種の高熱をあてたりするとかいう、彼等が生命以前のものと考えている働きを加えると、生命の最も原始的な基本的様式である、バクテリアや藻類のようなものができる、という実験成果によって、生命というものは、無生の物質に或る種の科学的或いは自然現象が加えられると生命がそこに生じてくる、という考えに固定してしまっているのです。

そして、もっともっと深く生命の実体を知るためには、そうした方法を強く押し進めてゆけばよい、というような考えに落ちついているようなのであります。

人類の高次元への進化を阻げている思想

こういう考えは、バクテリアやアメーバという基本的な生命体が、次第に進化して、魚となり鳥となり猿となり、人間となったという、ダーウィンの進化論の範疇を一歩も出ていない考えなのです。

何故かと申しますと、肉体的にいきますれば、確かにそういう進化論も成り立つことと思いますが、人間にはアメーバから猿に至る生物とは全く異なった、精神というものがあります。

ここが一番問題なところでありまして、一流の科学者たちが、精神を肉体頭脳の一種の働きの現象であると思っていたり、物質から生命が生れ出たというようなことを、真理と信じていたりするようでは、いつまでたっても真実の人間というものが判りようはありませんし、人類の進化を或る次元、いわゆる肉体人間という次元に固定してしまって、それ以上の高次元への進化を阻げてしまうことになってしまいます。

物質にどのような働きを加えましょうとも、物質がその方法で動き出したとして、そこか

ら生命が生じたのではありません。生命は大自然の働きの中に既に存在していたのでありま
す。

生命が物質から生れたものであり、人間が下等生物から進化を重ねて出来上がったもので
あるとするならば、生命の尊重ということは、物質を尊重するということと、そう大差はな
いことになりますし、下等生物はともかくとして、魚類や鳥類や獣類と人類との生命の間に
は、その重要さに根本的の差異はないことになります。

ところが実際には、獣類以下の生物と人類との間には、根本的に範疇を異にした、生命観
が出来上がっているのであります。それはどうしてそうなってきたかと申しますと、人類に
は獣類以下の生物がはっきりと証明することのできない、精神作用というものを、その生活
の根本としてもっているからなのであります。

人類にとって最も重要である、この精神作用を、物質である肉体頭脳の働きの一作用とし
て片づけてしまっていたのでは、人類が獣類以下の生物と、範疇を異にした存在であること
の特質を認めていないことになります。

自ら（みずか）の智恵や知識で、人類進化の為の、様々な計画をすすめ、生命尊重の教えを広め、大

自然の神秘をつきとめようとする科学を生み出してゆく、この素晴しい人類だけが有する精神作用を、微生物から進化してきたという物質的肉体の一作用として認めていることに、一流の科学者ともあろう人たちが、どうして疑問をもたないのでありましょうか、それが私には不思議でなりません。

物質も精神もすでにあったいのちより生れた

私がはじめから申しているように、科学的な見地から推察していっても、物質波動と精神波動とは、そもそもの出発点からして全く異なっているのであり、その両波動とも、現在では只単に生命と呼ばれているある力から生れでているのであって、物質が或る作用によって生命を生み、精神作用を生んだのではありません。

このことは、これからの人類の進化にとっても最も重大なことであり、この真理に気づかなければ、人類にこれ以上の進化はあり得ないのです。もしこれ以上の進化が無いとするならば、もはや人類の生存はその意義を失ってしまうのです。

何故これ以上の進化がないかといいますと、昔にくらべれば数等倍も進歩しているように思われる人間精神の在り方、例えば、やたらに人を殺さない、人を殺せば必ず罪になるというような生命尊重の思想や、人間平等、人権の尊重、言論の自由というようなことなど、昔とはくらべるべくもない精神的進歩でありますが、これはあくまで、肉体人間というものに対してであって、肉体という物質的な現われが消えてしまったら、つまり五感に触れる物質的な波動が消えてしまったら、生命の流れも、精神波動もその場で共に無くなってしまうという思想なのですから、肉体世界という次元以上に広がってゆく生き方はできないわけです。これでは肉体人間という範疇だけの人類なので、どうしても肉体の存在というものにあらゆる能力を駆使するわけになり、その為に邪魔になる場合には、精神というものも、大宇宙の法則というものをも、一応捨て去る形になることがあるわけで、これは肉体の生存の為には致し方がないということになります。

これは個人的には随分多いことですし、国家間においては、これは当然のことのようにして行なわれているのです。各国が当然殺人につながりを持つ軍備を強化していることなどもその一つであります。軍備を持つことは、独立国家としての権威のためである、という人もありますが、どう理屈をつけようと、殺人を防ぐ為の殺人の武力であることには違いがありません。

米帝国主義が持つ核爆弾は侵略戦争の為のものであるが、こちらの核爆弾は侵略を防ぐ為のものだ、と中共やインドネシアがいっていましたが、侵略する側がどちらであるかは別として、どちらにしても、核爆弾攻撃をし合えば大量殺戮の大悲惨事をまき起すのだし、場合によっては、地球人類大半の死滅というところまでいってしまいます。これではどちらが正義も不正義もありません。どちらも地球人類の為の敵ということになってしまいます。大宇宙の法則はすべて大調和を目指して動いておりますし、人類の良識も世界の調和、世界の完全平和ということを望んでいます。

ですから、軍備に対する軍備ということは、宇宙の法則にも人類の良識にも反することになります。

そんな甘いことをいっていてどうする、軍備のない国がどれ程悲惨な目にあうか、国が滅びて一体何がある、というようなことをいってくる人が必ずあると思います。その考えが問題なのです。そういう考えからぬけ出ぬ限りは、地球人類は滅ぼしたり滅ぼされたりして、やがてはすべて滅亡してしまうことになるのです。原水爆のような兵器が出来てきたことはその何よりの証拠なのです。今の時代には、軍備をもっての正義不正義の対立そのものが、もう悪行為なのです。そういう悪行為をつづけて国家の権威を持ちつづけたとしても、その権威は地球諸共消滅し去ってしまうのは必定なのです。軍備を持たず今滅びても軍備を持ちつづけて幾分滅亡を長びかせたとしても、そうたいした違いではありません。

武力なくして国家を守る方向に

そういう覚悟が現代の国家には必要なのです。ですから今までの悪循環の武力でなければ守れぬという考え方を捨てきって、武力なくして国家を守るという方向に、今まで軍備にかけていた全資金をそそぎこむのです。科学力をすべてその方向にそそぎこむのです。政治力も勿論そうです。原水爆には原水爆をという考えを捨てて、原水爆が役立たなくなるような科学力一本に科学者を総動員したらどうなのでしょう。全国家ひいては全人類の科学力をその線にむけて総動員したら、必ずそういう科学が生れでてくるのです。原水爆ばかりではありません。すべての殺人兵器が使えなくなるような科学力の誕生は夢物語ではないのです。そういう方向に各国家が重点をむけないで、武力で相手国を凌駕(りょうが)しようとして、その方向に多額の国家予算をかけているのが現在の各国家の様相です。人工衛星競争などもその一つの現れであって、あれだけの費用を、そういうことより先きに戦争防止の科学力開発の為に何故使わないのでしょう。

こういう根本原因は、現代国家群の指導者層が、大宇宙の意志を知らず、人類の真実の在り方を知らないからなのです。いわゆる、物質から生命が生じたり、精神作用が物質的肉体頭脳から生れているというような迷信に把われている人々だからなのです。

現在、地球人類が何をおいても、先ずなさなければならぬことは、戦争を防止するということです。第二に天変地異を防ぐということです。この二つ共に、現在の国家群の指導者たちが行なっている方法では防ぎきることはできません。

私共は日夜をたゆみなき世界平和の祈りによって、その方法を神から教えられたのです。それは純然たる科学の道なのです。私共はその道を宇宙子波動生命物理学と呼んでいます。今までは単に宇宙科学と呼んでいましたが、それでは人工衛星のあれと間違えられますので、呼び名を改めたわけですが、この科学の道筋は常に私たちが宇宙人と呼んでいる神霊からインスピレーションを送られて、その道筋を基にして私たちが研究してゆくわけです。この研究のゆきつくところが、大調和世界創設という科学力の開発になっているのであります。

もし世界の指導者たちが、真剣に純粋に神のみ心を心として、真実に世界を救う科学力を与え給えと、全く自我を入れぬ空の祈りをしたならば、必ずその望みはきかれると思うのです。何故ならば、神のみ心は大調和なのであり、全人類が大調和の道を歩むことを望んでいらっしゃるのですから。その真理を外れて、眼前の権力欲や損得、感情的想念に把われてしまっている各国指導者の心が全く情けなくなります。

生かされている生命に対する感謝の気持を育てよう

世界政治の枠外にある私たちの世界平和の祈りがききとどけられて、前代未聞ともいうべき科学の道が開かれたのでありますのに、世界の運命を握る指導者たちの祈りがききとどけられぬ筈がありません。と申しても、世界の指導者層が、そういう方向に心をむけてくれるということが第一なので、その為にも私たち政治の枠外にいる人たちの世界平和を念願する強い気持が必要なのです。なんでもかでも世界が完全平和になるように、その為の真剣な祈りが必要なのです。物質より先きに生命が生きいきと生きていたということ、その生命の源に対する、神という実在に対する敬虔なる感謝の気持、こうして生かされている生命に対する感謝の気持、その気持が大事なのです。

私共の宇宙子波動科学では、精神波動と物質波動との在り方をはっきり分けて考えております。神から発せられる生命と呼ばれる力を、宇宙子群と呼んでおりまして、この宇宙子波動が数や角度やその運動の方向によって精神波動になったり物質波動となったりするのであり、宇宙子一つの相違でも、その精神や物質に差異が出来たりするのであります。

宇宙子には活動している宇宙子と静止している宇宙子とがあり、共にプラスとマイナスの働きがあり、この結合の仕方によって、精神波動となったり、物質波動となったりするのであって、現在の地球科学で炭素や水素と呼んでいる元素や、生物の体に絶対必要であるタンパク質やアミノ酸というようなものも、これら宇宙子結合体の結合状態によって出来ているもので、これが瞬時も休みなく、神（大自然）のみ心の中から流れでてくるのであります。

私たちは、こういう宇宙子の働きの状態を、その数や角度を或る種の数学計算によって計算して、生命の神秘を深く探りつづけ、その生命波動、宇宙の波動を種々と操作することによって、地球人類の運命を、大自然の法則にすっかり乗せきり得ると信じて研究しつづけているのであります。

一人一人の世界平和の祈りによって、世界人類の心が平和世界創設へと結集してゆき、各国指導者が自(おの)ずから、あらゆるゆきがかりを捨てて、戦争防止につとめる政治に切り替えてゆくとき、神のみ心は真実の人類の在り方を、はっきり科学的証明によってお示し下さることになるのでありましょう。

精神と物質とが全く縦横十字に大調和して、この地球上に神の国を顕現し得るよう、私たちは一心に祈りつづけ科学しつづけることを誓うものであります。

己が幸願ふ想ひも朝夕の世界平和の祈(の)り言(ごと)の中

世界を調和に導く原理

昭和40年11月〈白光〉発表

誤った宗教信仰が争いの原因となる

宗教信仰というものは、誤った道を進みはじめますと、全く手に負えない困ったものになります。それはあたかも麻薬患者のようなものとなってしまうからなのです。そこで、宗教はアヘンなりという言葉が唯物論者の口にいわれているわけです。

共産主義も一つの信仰だといわれますが、一つの主義に固まった人も、宗教信仰に固まった人も、どちらも馬車馬のように、周囲が全く見えず、只一本道をひた走りに走っているようなもので、大宇宙の広い視野に眼を放つどころか、まるで操り人形のように、定まった動き以外には想いが動けない、不自由な人間となってしまっています。

インドとパキスタン国境の紛争なども、ヒンズー教徒と回教徒の争いというものに利害がからみついてのものでありまして、自分たちの信ずる神やその儀式以外の何ものをも認めないという宗団意識というものの根強さには、お互いに手を焼いてしまうのです。

それは共産主義者が、資本主義国やブルジョアジーとは絶対に相容れない、と思いこんでいるのと同じなのであります。彼等は、絶対者と自分たちで思っている神やその使徒たちが、その神やその使徒やその儀式を敬し礼し、それに従順であることによって、自分たちを守ってくれるのであって、それに反すれば自分たちの運命は滅びの道に至るのである、と信じこんでいるのです。この信仰は知性で判断しているのではなくて、父祖からの伝わりと、心霊的な体験による歓喜や恐怖によるものでありまして、深い内的な真実の神のみ心からひびいてくるものとは異なった、浅い肉体波動に近い、幽的波動が感受する信仰状態なのでありますす。いいかえますと、潜在意識の世界のそれも顕在意識に近い層に、この教えを信じなければ自分たちの心身は滅びる、という想念が厚く固まっているのです。

こういうような心の状態ですと、他からどのような手段で、どのような説得をしようとも、顕在意識も潜在意識もこれを受け入れようとは致しません。そこで、他の人々、いわゆる知性的な人々からは、常識外れな奇異な行為と見えることも、真面目に当然のこととして行なうのであります。

お互いの宗団が、そういう状態で、自分たちの神を敬い、自分たちの儀式の下に生活しているのですから、宗団同士の横のつながりというものがおろそかになり、果てはと絶えてしまうようなことになります。それが国と国との交流ということになりますと、お互いの信ずる道がまるきり違うのですから、お互いに自己の信ずる道を一歩も退かずにいるわけで、そこに物質的利害もからんできて、憎しみ合う仲となってしまいます。

それはインド、パキスタンのみではなく、仏教とキリスト教の間においても、その教えにあまりに固執している状態ですと、いつかは大本の教えである大調和ということからはずれ、すべては兄弟姉妹であるという教えから逸脱して、争い合うことになるのであります。

自分たちの生き方を通すために、相手が邪魔だから、相手の消滅を計る、というようなことは、宗教の本質を全く外(はず)れているのでありますが、自分たちがその圏内に入ってしまっていますと、そういうことが判らなくなってしまうのです。

日本における新興宗教団体の中でも、こういう状態に近い団体はいくらもあるのです。折伏などという言葉は、全く嫌な言葉でありまして、悪魔を折伏する、怨敵折伏というようなことから使われたのでしょうが、自分たちの教えに同調しない人々を、すべて折伏の対象にするようでは、これは誤った共産主義者と全く同じであり、神仏を背後に背負ってのやり方ですから、もっともっと悪質であると思います。

宗教の本質を見失うな

巷間の行者と称する人々の中には、こうしたやり方をしている人が多くいるものでして、人間の神性調和性を破壊してゆく、自分勝手な生き方を強調していて、それが悪いことだとは思っていないようなのであります。

現在のこの世の中では、眼前の利益を欲っしている人が大半なのですから、現世利益を説いて信者をひきよせても、それはそれでよいでありましょうが、現世利益だけが売りもので、いつまでたっても、本心開発の方向に一歩も進まず、現世の利害関係の渦の中で、ぐるぐる廻りしながら、神仏を求めさせるような、そんな生き方を、宗教指導者が、その信者たちに教えこんでしまったら、これは、神仏にもすがらず、自分たちの力一杯にこの世を乗り切って行こうとする唯物的な人よりも、はるかに低い層の人々をつくりあげてしまいます。

この世の中には、物質波動的な、眼に見え、手に触れる現実だけを実在とみて、その波動圏の中だけで生きている、いわゆる唯物的な人たちと、幽波動、つまり物質波動より幾分微妙な波動の世界、もう一ついいかえますと、眼に見え、手に触れないけれど、常に肉体的な自分たちの生活に、密接な関係のある世界に興味をもち、そこに神を求めたり心霊を求めたりする、いわゆる新興宗教に入ってゆくような人たち、三番目には、人間の精神生活をより高くより深くしようとして、神仏と人間とのつながりを求め、高次元波動の中に、自分の想念を住まわせようとしている人たちがいますが、こういう人たちの中には、案外自分では意識せず、ただひたむきに自分の生活をしている人がいます。それはその生活そのものが、そういう世界に通じている人なのであります。

この中で第一の人々は、これは見たままの状態ではっきり判りますが、第二の状態の人々、自分では神仏を求めているつもりで、実は、肉体生活の利害関係を、肉体波動以外の世界、いわゆる神秘力、霊能力に依存している人たちが問題になってくるのであります。

こういう人たちは、自分の精神生活を高次元に高めよう深めようとするよりも前に、自分たちの現実の肉体生活の利益を増し、害を減らすということと、肉体世界以外の世界への興味という二つの点で、宗教の世界に入りこんでゆくわけで、その想念の中には、霊能力、神秘力に憬(あこが)れる想いが深くあるわけです。

霊能力や神秘力に憬れるということそのものは、別に悪いことではなく、人間が進歩したいという一つの現れなのですから、現在より進歩してゆく、一段階に入るということになりますが、さてこれに付随して、現世の利益ということと、映画や芝居をみて楽しむ、つまり慰楽の気持が加わっているところに問題があるのです。

これは真の宗教に入る一段階として仕方のないところでもあるのですが、少しその道でやってみて、こんなものだと見当がついたら、いち早く、宗教の本質である、精神生活の向上という面に、想念を切り替えてゆかなければいけないのです。

人間というものは無限の進歩をたどってゆくもので、現在の地球人類の肉体世界などより高い世界が、幾層も幾層もあるのですから、たゆみなき進歩向上の道を歩いてゆかねばならぬので、どうしても一つのところで、その世界の楽しみに浸ってはいられぬものなのです。

それでないと、インドやパキスタンの或る種の人々や東南アジアの宗教に固った人々のように、いつの間にか、心が一つ想念にかたよった、不自由な心の人々ができあがってしまうのであります。

平和をもたらす根本原理

宗教というものは、神と人間との真実のつながりに目覚めさせる教えでありまして、神と人間との関係がはっきりしてきますと、自ずから心が自由自在になり、何もの何ごとにも把われることのない、大きな人物になってくるのであります。

現在の地球人類は、あまりにも物事事柄に把われ過ぎる小さな人物の寄り集りであります。自分の家族、自分の集団、自分の国等々、あまりにも他と自分というものの区別をはっきりさせ過ぎております。人類はすべて兄弟姉妹なのだ、という真理は絵空事のようで実生活に当てはめられてはおりません。

近きより遠きに及ぼせ、とイエスもいっておりますように、誰でも、自分を信じ、自分の力に頼ってくるものを主にしてかばうのは当然ですが、その為に他の人や国を敵と思って憎悪する必要もないのです。しかし現実は、全く敵と味方が別れており、愛することと憎しみとが裏表として存在しているのです。

どっちが先でもよい。どっちかが真理を先に実行しさえすれば、敵はそこにはいなくなり、兄弟姉妹の真実の姿が、そこに浮び出てくるのですが、現実にあまりにも把われ過ぎておりますと、それが実は、過去世からの原因結果、つまり因縁の消えてゆく為に、一時そこにそうした敵のような姿となって現われているのだということを忘れてしまって、その消えてゆく姿を叩こうとするのです。

それは個人と個人の間でも、国家と国家の間でも同じことなのであります。

ソ連とアメリカの、どうにも解決しそうもない憎悪の感情、これは共産主義と資本主義という関係以外に、現実的な過去からの感情のいきさつがあるのです。そういうことを、アメリカならアメリカが、先手を打ってときほぐしてゆくことをしなければ、遂いには大戦争にまでもってゆかねば結末はつかなくなります。

それを現実問題だけを取り上げて、共産主義の侵略行為とばかりきめつけていたのでは、解決のつくわけがありません。アメリカは現実的には一番強大な国なのですから、もっと大人になって、大きく心を開いて、国際政局をあつかってゆかなければ、やがては自滅してしまわねばなりません。

根本の考えをそのままにしておいて、只単に小国のご機嫌取りの枝葉的な財的援助をしたところで、小国の方ではアメリカのその根本的ないわゆる自国本位の気持に気がつきますから、いつかはそっぽをむいて、他の大国の方に想いを向けたりするのです。

要するに根本的に人類愛の心が欠けています。自国を守るという心が先に立って、クリスチャンの本質である、人類愛の心が陰にかくれてしまっているのが、アメリカの政策を失敗させている最大原因なのです。

宗教精神というのは、こういうところが大事なのでありまして、自分が生きることと、他が生きることが一つになり、自国の繁栄と他国の繁栄が一つに結びつくようにもっていかねばならぬのです。それには小国からではどうにもならぬので、大国が卒先してそういう形態にもってゆくべきなのです。そこから世界平和というものの芽生えが生れてくるのです。

小国の方は小国の方で、かたよった宗教観念や小さな民族意識などで、大国を困らせないで、大国の下について世界平和の為につくさねばいけないのです。

何んにしても、一番根本になる考え方、つまり大生命（神）の下において、世界中の人々はすべて兄弟姉妹の間柄なのだ、ということを改めて考え直さねばならぬのです。

その為に古来から幾多の聖賢が道を説いてきているのであります。ところが、宗教の道がかえって誤って行なわれ、戦争の原因になったり、世界が一つになる妨げをしていたりするのでは、古来の聖賢は泣いても泣ききれません。

世界平和論を衆智に問え

日本など何故もっと世界平和の道を、積極的に進めてゆかないのでしょう。もっとはっきりと日本国民の意志を世界に訴えることが何故できないのでしょう。誰だって何処の国だって、世界平和を望まない国はないのですから、只単に世界平和を日本は望んでいる、といったって、それは表面的な言葉に過ぎません。どういう風に世界平和を進めていったらよいかを、日本の立場として、はっきり言明したらよいのではないのでしょうか。まだ日本の行く方向がはっきり定めていないでは、外国の日本に対する信用は下落します。アジアの諸国は確かに日本に頼っていますし、西欧諸国でも、日本という国を一種特別な眼でみているわけです。

その日本の態度は、常に曖昧模糊としていて、どうにも頼りになりそうもないでは、これからの外交にさしつかえることでしょう。

日本は原爆を浴びた最初の国であって、日本が原水爆を極度に嫌悪恐怖するのは当然なことであって、少しも恥かしいことではありません。こういう特殊な立場に立つ日本でなければ言えない、世界平和に対する強い発言効果を日本は自ずから持っているのです。口で只平和にしなければ、といっているだけでは、どこの国もついてきません。世界平和を樹立するにはどういう風にすればよいのか、ということを、それこそ国内を挙げて衆智を集めて考えて、その上で国連で発言するような周到な考えを、何故日本政府は持たないのでしょう。

日本は現在外国に対して、何をおいても、世界平和ということを中心にして、対するべき立場にあるのですから、種々な世界平和論をそれこそ今からでも遅くはないから、衆智に問うてみたらよいのです。政党政派の中に入りこんでいますと、どうしても、その殻のいろがつきまして、広い正しい見地からものごとをいえなくなるものです。

ですから政党政派外の民間の智恵を参考にして、こういう大きな問題は特に衆智を集める必要があるのです。その場のがれの政策をつづけていることは、日本の信用を落してしまうだけです。日本が米国の親友とするならば、日本人からみた米国の在り方の正邪をはっきりと讃えもし批判もしてこそ、真実の友邦国の在り方であろうと思います。

宇宙法則にのった生き方を

自国の利害に関することであっても、相手がどのような国であっても、正しいことは正しいと認め、誤っていることは誤っていると指摘することによって、自国がどのような見解に立って世界にのぞんでいるかということが、はっきりと外国に判ってくるのです。自国の損失となるから、相手が正当の主張をしても聞かぬふりをしてしまう。自国の得になるから、相手が誤った行為をしていても、黙って見過ごしてしまう、などという政治政策であったら、日本の運命も先が知れたものとなります。

何をおいても、天道に外(はず)れぬ生き方というものが、個人にも国家にも大切でありますので、国家の損得にかかわることだから、天道にそむいても宜しいのだ、という理屈は成り立ちません。表面的の理屈はこじつけられても、宇宙法則に外れてしまうのですから、その外れを直すだけの代償は必ず払わなければならなくなります。何故かと申すと、個人にしても国家にしても人類全体にしても、宇宙法則を外れた、いわゆる天道にそむいた行為というものは、どこかで崩れてゆくことになっているのです。

すべては宇宙法則にのって運行されているのであり、人類もその軌道をそれることはできないのです。それは肉体の生死を遁れることは出来ないのと同じなのです。

ですから、個人としても国家としても、じっと心を落ちつけて、現象の動きに把われずに、自己や自国の動きをみつめることが大事なのです。こうすれば自己の得になり、自国の利益になるけれど、果してこれが天道に沿った生き方によって生れでたものなのだろうか、ということを判断することが大切なのです。

神秘力への憬れを正しい道に

そういう正しい判断をする為にも、正しい宗教観というものが必要になってくるのでありま す。ただ自己の現世利益を得る為の宗教入りだけで満足しているようであったなら、その人は進歩することはできませんし、永遠の生命観を持たぬ、その場しのぎの国策では自国の末永い繁栄を得るわけには参りません。

また個人が、自己満足の為の神秘力、霊能力への憬れを持って、霊能者などに接していますと、そういう自己満足を充足させる波動はあまり高次元のものではありませんので、肉体波動に近い低次元の波動が、感染してきまして、現世利益はもたらしはするが、次第にその人の魂魄を低次元の波動の中に縛りつけてしまうような、心霊学的にいえば、低級霊魂の波動のとりこになってしまうのです。

しかし暫らくは当人はそのことに気づかず、肉体波動以外の波動圏に接し得た喜びで一杯になり、人の運命が判ったり、神と称する霊魂の声を聞いたりして、普通人以上の能力を得たことの満足感を味わっているのですが、次第にそうした状態に危惧の念を抱きはじめるようになるのです。だがもうその時はすでに遅く、その波動圏から遁れることは出来ず、普通人と異なった、幽波動を漂よわせながら生活する状態になってしまうのです。

こういう人を他からみますと、何んともいえぬ変な雰囲気を感じ、常識的でない行為をしばしば見受けたりすることになるのです。

これは肉体波動世界のこと以外は、すべて神秘なもの、神のみ業と思うような、迷信によるのでありまして、肉体内における生命の不可思議なる働きこそ、神のみ業でも、神秘力でもある、という、肉体人間としての原則を忘れてしまったことから、こうした状態が起るのであります。

肉体における生命の神秘に対しては、いくら感嘆しても、感謝しても足りぬ程のものがありますし、自分のうちに神様がいらっしゃるということが、実によく判るのです。心臓は一体なんの力によって動いているのか、肺臓はどうしてこのように働いているのか、胃腸は腎臓は肝臓は、頭脳はと考えればきりもない程生命の不可思議な現象にぶつかります。

そうした生命への感嘆、生命の働きに対する感謝という心で、今度は大自然をみつめてごらんなさい。大自然の運行の雄大さ、不可思議さは、これまた驚嘆すべきものであります。何んて自然は素晴しいのだろう、大空をみても、山脈や海をみても、大自然の素晴しさは人間の憬れそのものです。

そういう風に大生命であり、神秘力の根源である神への感謝を捧げ大自然への感謝の気持を持ちながら、宗教の道に入っていくようですと、そのような人は低次元の波動とは波長が合わないので、低級霊魂のとりこになるようなことはありません。光をみればその光はほんものであるし、神のみ言葉を心に感ずれば、それは真実に神示であるわけです。

宗教に入って一番いけないのは、自己を人より高くみせようという想念であり、自己を高くみせようが為の霊能力、神秘力開発の気持なのであります。そういう不純な気持は低い波動の世界のものなので、低級波動に合うことになり、霊能力は発現するけれど、人格は低卑になり、現象利益の教えはできるが、本心開発を遅らせてしまう、本末転倒の生き方に人をひきいれてしまうことになるのであります。

要するに宗教を求める根本は、やはり精神生活を深めたい高めたい、という願望があって、それが霊性の開発にまで発展してゆくのであります。

人間は、この地球世界では、肉体生活が主になっておりますので、あくまでこの肉体というものを土台にして行動しなければなりません。しかし、肉体の他に幽体や霊体神体というものがあるのは事実なのですから、そういう肉体波動より微妙な波動体が、肉体を持ったままでも、常に働きつづけていることも知らなければいけないのです。

人間というものは、この眼でみたより、実に実に複雑なものであります。肉体内の構造だけでもそうでありますが、肉体以外の微妙な各種の体のことを考えますと、只々不思議な存在である、と考えこまざるを得なくなります。

こういう微妙というか複雑というか、不思議というか、こういう人間の真実は、現在の科学では、まだほんのその入口のところまでしかきわめておりません。宗教の方からいっても、その奥深く入っていった人は、そう多くは存在しません。しかし、宗教の方から入ってゆくと、内観的に神の実在がはっきり判って参りますし、精神的力も非常に強まって参ります。只先程から度々申しておりますように、自分の力を見せようとしての宗教修業は危険であるのです。

世界平和達成の力は日本から

宗教の修業も、個人だけの浄まりにとどまらず、世界人類の平和達成というような、大きな広い祈りの行に想いを広めますと、個人の浄まりと同時に世界人類の浄化促進にも役立つのであります。それを私共は、世界平和の祈り、として人々に宣布しているのであります。この世界平和の祈りを民衆一人一人も、政財界の指導者の人たちも、共に心を揃えて行じつづけてゆくことによって、日本全体が世界平和達成の光明圏になるのであります。

何故かと申しますと、世界人類の平和ということは神のみ心そのものであり、天道そのものであるのですから、そうした神のみ心に合致した人間の想念というものは、神のみ心から発する大光明に直接通じるのです。ですから神の大光明がその祈りを通して、その人間の体から光明波動をこの地球界に放射することになるのです。

日本人全体がそうなったらどうでしょう。日本はそのまま神の光で充満します。それこそ世界平和達成の力は、日本から世界中に振りまかれることになるのです。

世界平和を念願するなら、右顧左眄(うこさべん)せず、平和一念の生活をすべきであり、平和一筋の政策を実行すべきなのであります。すべてがそうなる為の、私共の世界平和の祈りなのであります。

私共の世界平和の祈りからは、宗教と科学とを全く一つに結んだ、大調和科学である宇宙子波動科学がすでに生れ出でているのであります。

宗教精神が自ずと科学的な動きとなった時、そこに大宇宙法則と全く合致した地球人類の姿が浮び出てくるのであります。

新しい道

昭和42年2月〈白光〉発表

神仏を否定する人も二種類に分れる

神仏を否定する人の中にも、真底からの唯物論者というのと、環境によって、神仏の否定者になった人との二通りがありまして、前者は今生において唯神論者になることは、なかなかむずかしいことですが、後者は環境の変化によっては、唯神論に変化し得る要素を多分に含んでおります。

私たちの心では、物心のついた頃から神仏の存在を信じていて、日本が戦争に負けたからといって、神も仏もあるものか、などという浅薄な想いには少しもならなかったばかりではなく、却って神の存在を身近に感じたものでした。

ですから、私たちにとっては、神など存在するものかという人の心が、どうにも不思議でならないのですが、そういう人が世界には随分数多く存在しているのですから、こういう人たちの生き方ということについても、考えてみなくてはならないと思うのです。

現在の中共のように、米国に追いつめられてしまって、国を守るためには最後にはどうしても、科学にも物量にも数等倍自国より勝っている米国と戦わねばならぬ、と覚悟をきめているとどんな方法をとっても、全国を一つ想いに纏めなければなりません。全人民を統一するためには、一つの目標をもたさなければならぬので、それが、米国憎悪という感情にかりたてて士気をあおり、一方毛沢東思想への結集という方法になってきているわけです。そこには内部の権力闘争ということも重大な要素になっておりますが、兎に角目標をこの二つにしぼっておるわけです。

中国という国は元来が、唯物論の国ではありませんので、国民の中には、ひそかに神仏を念じている人も多勢いるのです。ところが現在の中国は共産主義の政権になってしまって、いわゆる唯物論の無神論の恐怖政治になっているのでありまして、対米憎悪の感情や、毛沢東思想への統一を乱すものは、如何なる思想でも事柄でも否定し去ろうとしているのであります。

昔の日本が、天皇を現人神(あらひとがみ)としてあがめ、天皇の御為に生命を捧げることを光栄とする教育をしておりましたが、この天皇崇拝の奥には神を畏敬する想いというものがありまして、只単なる一人間を崇拝するのとは異なった奥深い霊性から溢れてくるようなものがありました。いわゆる唯物論的な在り方ではありませんでした。そういう感情が自然と祖国愛に結びついていたのであります。

しかし、現在の中共の毛沢東崇拝というのは、全くの唯物論的な考え方からきているもので、毛沢東という肉体人間の思想行動というものが横に薄く広がっているだけで、縦に奥深くつながっているというのではないのです。そこで紅衛兵の少年たちが、毛沢東は神なんかより偉いんだ、毛沢東は中国を救い、中国の中心者になっているけれど、神などは何もしてはいない、とこういったことを異国の客にいっているのであります。

忘却される生命の源

私は唯物論の人たちにあって、いつも感じることなのですが、この人たちは、神の恩恵というものを、少しも感じようとはしていないわけなのですが、生命というものには、強い執着をもち生命は大事だと思っているのであります。

ところが、この生命という人間にとって一番大事なものは、肉体人間自身が創ったものではない、ということを忘却してしまっているのです。神のことは大生命と呼んでいるのであって、生命の源を神と呼んでいるのであることぐらいは、誰にでも判りそうなものなのですが、生命といえば、誰にでもすぐ判ることが、呼び名を神という風に変えると、もう判らなくなって、神なんかあるものかというようにいってしまうのです。

何も毛沢東と神とくらべてみる必要はないので、毛沢東もジョンソンも、みんな大生命から分れてきた小生命、分生命であることには変りはないのです。

大生命が頂点に在って、毛沢東もジョンソンもあるので、毛沢東は偉大だけれど、神は何もしていない、という紅衛兵教育というものは、そのままでゆきますと、遂いには、大生命からの生命の流れを自ら阻止してしまいまして、そうした人々の肉体生命は枯れ果ててしまいます。その時その人々の肉体生命はそのまま失われてしまうわけになるのです。

ちなみに、毛沢東その人の肉体生命は、私の眼からみますと、もうすでに尋常ではないように見えるのです。肉体人間として、如何に偉大なる働きをしたとしても、大生命の生命の流れが、その肉体を去った時には、その人の肉体はもはやこの世には存在しなくなるのです。大生命（神）より偉大なる人間が、この世に存在すると思う、幼い考え方で政治を司どろうというような人々の未来ははかないものであります。

私の霊覚では毛沢東という人物は偉大なる人物に見えたのですから、現在の中共の紅衛兵騒ぎや、毛沢東への個人崇拝などは、毛沢東自身の指導によるものでないことは明らかなことです。中共はひたすら滅亡への道を急いでいるようで、危っかしくてみていられない気持です。唯物論思想の救われがたい一つの傾向に、大きく足を踏み入れてしまったからです。

これと反対のようにみえて、実はそうでない国が米国です。米国は誰でも御承知のようにクリスチャンの国です。神の存在を信じ、神のみ名によって何事も運んでゆこうという在り方を表面的にはしているわけです。神の代理者であるイエスキリストは彼等には無くてはならぬ存在者なのですが、さてこれが国家の政治政策となると、全くの唯物論国となってしまうのです。

人間はすべて神のみ名において兄弟姉妹である、という真理や、互いに殺し合ってはならぬという神のみ心を踏みにじって、自国の都合を正義の名に借りて、北爆をしつづけて、多くの人々を殺傷しつづけている米国の在り方が、一体神のみ名において事を行なっている国の在り方でしょうか。そこには神のみ心のかけらも働いてはおりません。

中共と全く同じように、眼にみえている国家の損益というものを守ろうの一念で、神のみ心を無視しきった唯物的行為に他ならないのであります。共産主義という唯物思想を打ち破って真実の平和世界をつくる為という、表面の理由づけで北爆をつづけているのでしょうが、自国の方も、神のみ心に反した殺傷をつづけていたのではその正義道は地に落ちたものとなります。爆撃をつづけながらの話合いなどというものは、右手で相手の頭をなぐりつけながら、左手で握手を求めているようなもので、話合いのできる雰囲気ではありません。

真実の平和をつくる為には

真実の平和をつくる為には、眼にみえる人間とか国家の利益のためよりも、先ず先きに、自己や自国や人類すべてを支えている、大生命の心を乱さぬ、という点に重点を置かねばならぬ、と思うのです。

眼にみえぬ世界から、眼にみえ五感に触れる人類が出来てきたことは、現在の科学の研究からしてみても否定できぬことです。その源の原理をないがしろにして、現れの世界だけを叩き直そうとしても、とてもそれは不可能なことです。

原子さえ眼にみえぬのに、その奥にもっと微妙な素粒子が存在するのであり、もっと奥にその素になる働きがある、ということは現在の科学の常説であって、そのいずれの存在も一つの法則に支配されていることは確かのようです。その法則は大宇宙の動きと同じように常に調和を求めて働き合っていることも事実なのです。

ですから、人類は常に調和を求めて働きつづけなければならぬのでありまして、調和を乱せば必ずその乱しただけの反応が乱した国に返ってくるのであります。如何に国家の名をもってしても、多くの人間を殺傷していて、その国がそのまま無事ですむ筈がありません。仏教でいう因果の法則はすべての世界に適応するのであります。

米国やソ連が核兵器を沢山つくっておきながら、中共がつくったといっては、しきりに非難しておりますが、こんな自分勝手な話は、個人の関係ではすててはおきません。しかし、大国の米ソのことですから、小国がいくら文句をいっても鼻であしらわれている格好です。

もし真実核兵器が嫌なら、大国の米ソの方から核兵器を捨て去って、中共に物申せばよいのであります。自国の方のことは何んでもほおかぶりしていて、他国ばかり責めているようなことでは、とても世界の指導国としての存在が永くつづくとは思いません。

中共の第五回の核実験が行なわれたようですが、これは日本をはじめアジア諸国への絶大な脅威でありますし、米国がそれにつられて、実戦に核兵器でもつかったら大変なことだと案じられます。何んにしても、地球人類の心は、神々の方からみたら、いたずら坊主のあつまりみたいで危険きわまりないと思われているでしょう。唯物思想の行きづまりが遂いにやってきつつあるのです。

各国が自国だけの行為は赦し、他国を責めているだけでは、とうてい平和になりっこありません。米国も中共もソ連も、現在の心の状態では、世界平和の立役者にはなれません。どこかの予言者が、こうした世界の睨合(にらみあい)も、やがて米ソが共同して中共と戦い、中共を滅ぼして、世界が平和になるということをいっていますが、たとえ、米ソが協力して、中共を倒したとしても、今度は米ソの勢力争いはどうなるのか、こんなことは深く考えなくても判ることで、その場その時々の自国の防衛の為に、地球滅亡の危機をはらんだ戦争をして、自他共に多くの犠牲者を出してゆくようなことで、真実の平和がくるわけがありません。

何といっても、真実の平和世界をつくる為の戦争などというのは、全くの偽りであって、真実の平和をつくる為には、あくまで戦争を阻止すべきであり、宗教精神と科学精神の和合によって、はじめて世界平和が成り立つものなのであります。

米国にしても日本にしても、中共の侵略というものを恐れるのあまり、それ以上に恐ろしい筈のソ連の存在を、味方視し勝なところがあります。日本人としての眼からみれば、中共にしてもソ連にしても、かつ米国にしても、みんな唯物的な想念行為にひきずり廻わされて、その政治政策を行なっているのであり、現在の各国の心の状態では只一国としても心許せる相手はないのであります。

すべての国も民族も自国の権益第一の生き方をしているのであって、自国の権益を冒すものや反するものがあれば、直ちにその国に対して敵意をもつものであります。

そういう状態が現在の世界状勢なのでありますから、神のみ心のままに生きてゆくという在り方は、現在の自己や自国の在り方を護ろうという想いのある限り、実行でき得ぬことになるのです。

実際中共にいってきた人の話や書物をみますと、米国への憎悪は徹底していまして、一寸でも米国をかばったり、和解の話をしたりしますと、誰もが、眼をさか立てて反論し、こちらのいうことを聞こうともしないといっています。

これは米国が中共を圧迫してきた結果なのであり、又中共の米国憎悪の感情が、米国の方に、更に敵対感情を誘発させて、業想念がぐるぐる廻わりして、今ではどうにもならなくなってきてしまったのであります。

こういう業想念の波動圏に巻きこまれていて、自国の護りをしようというような考え方では、やがてはその国も争いの波に誘い出されてしまうことは必定なのですから、日本はこういう波動圏、つまり今日までのような、他国の在り方ばかりに気を取られていて、他国次第で動いているような政治政策をしていたのでは、とても駄目である、米国にもソ連にも中共にも大きな影響を与え得るような独自な在り方がなければいけない、と私は言いたいのです。

現在の日本の政治家は、あまりにも他国の在り方ばかりを気にしすぎています。何故もっと日本独自の政治政策をはっきり打ち出すことをしないのでしょうか。いつでも右を見左を見て、現象的に損をしないようにとばかり考えているような政治は、小人の政治であって、大人君子の執る政治ではありません。

日本は元来、霊の本の国であることは、私が常々申しておりますし、神霊主義の人々の誰でも神示されているところであります。個人の名でも国の名でも、人間が勝手につけているようでありますが、実はそうではありませんで、その国やその人の役目や生き方が自ずと、現われているものなのです。

それは人間各自が、好むと好まざるとによらず、定められた土地や家や両親の下に生れてくるのと同じでありまして、肉体人間の自己のあずかり知らぬ問題が人間の誕生なのであります。

そのように、自己や自国としては気がつかないけれど、個人にしても国家にしても、それぞれの天命が与えられておりまして、日本は霊の本の国としての天命が与えられているのです。しかしその霊の本が今ではすっかりくらまされておりまして、様々な思想の波に翻弄されている有様なのです。

ですから、相当な宗教家でも日本（霊の本）が本来大調和そのものの国であることを、現象の中共の在り方などに幻惑されまして、つい忘却してしまい、平和を乱す国があったら、米ソのロケット弾で撃滅して貰え、というような、神のみ心に外れたようなことを、平気で機関誌に書いたりしてしまうのです。

相手を撃滅してつくったような平和は、後にはそれに数倍する戦争となってかえってくることは、今日までの歴史が常に物語っていますのに、それがつい判らなくなってしまうらしいのです。

常に神のみ心に根本を置いておくこと

常に神のみ心の根本に心を置いておきませんと、つい現象のうつりかわりに想いをうばわれまして、光明思想家の筈だったのが、いつの間にか敵や悪を認め、それを武力で打ち破らなければ平和はこない、と思うようなそんな心境になってしまうのです。

私はそこで、この現象世界は、過去世からの神のみ心を外れた想念行為が、今眼の前を通り過ぎてゆく姿なのだ、消えてゆく姿なのだ、と説いておりまして、その悪や不幸を一度は認めさせたようにみえて、しかもその悪や不幸に把われさせない方法を指導しているのであります。

それが消えてゆく姿で世界平和の祈りという方法なのであります。

今日のように、全人類の大半が、業想念波、つまり玉石混淆の波動の世界を実在とみて生活しておりますと、少しぐらいの光明思想をもっていましても、つい悪や不幸の波に把われてしまいまして、神に全託して、神のみ心のままに生きてゆくことがよいことは判っているが、この世はそういうようにはゆかない、他の人々との交流ということが必要だからね、といって、少しの悪や不正直は是認してしまう傾向にあるのです。

それが小さな悪や不幸なら、さしたることもないともいえるでしょうが、相手の主義が悪いからといって、その相手をこちらが先に手を出して殺傷してよいというものではありません。汝の敵をも愛せよ、というキリストの教えにあまりにも外れた行為は、必ずその人やその国にも輪廻してくることでしょう。

共産主義が悪い、何々主義が悪いといってその悪を無くそうとすれば、相手方は相手方で自己の思想を善しと認めて、生命がけでその思想の普及につとめているのですから、その相手を悪とみて対抗して参ります。そういうやりとりをしていたのでは、たとえ片方が善としましても、善と悪との戦になりまして、一大戦争となるのであります。

そういう相対的な争いを無くする為に、昔から光明思想、大調和思想の働きがあるのでありまして、今日のように、今度戦争がはじまったら核戦争必至という時代であればこそ、光明思想、大調和思想の大いに役立つ時代といえるのであります。

いつかも書きましたが、強盗殺人や誘拐殺人などという、誰がみても一人としてこの行為を善とはみない事柄なら、これを処罰しても誰も何んとも申しません。しかし、真実はどちらが善いか悪いか判らない、一部には判っていても大半の人に判らないで、どちらにも多くの賛同者がいるような場合には、片方だけを悪と片づけて、処罰するようなことをしますと、後々までこの紛争はつづくにきまっています。

そういう紛争の種をまき散らしては、この世の調和が乱れるのです。そこで、そういうような善悪定かならぬ問題や、思想的な問題はすべて神のみ心にゆだねて、時の推移によって自然にその処置が定まるまでまつことが賢明なのであります。

どちらが悪いということより、この世の調和を乱す、争いの想いの方、殺りくの行為の方がより悪となるのであります。そういう観点から、世界情勢をみてゆかねばならぬのです。

新しい道の発見

そこで私は、すべての悪や不幸、敵とみえ、自己に不利なるものとみゆるものも、すべて過去世の因縁の消えてゆく姿、国家ならば歴史的な因縁の消えてゆく姿として、すべてが平和になり、大調和の姿になりますように、という想いをこめた、世界平和の祈りの中に自己の全想念を入れきってしまう行為を、人々にすすめているのであります。

この方法は、無理に神のみ心のままに生きるのだ、とか、悪も不幸もないのだ、というように、観念的に思おうとしなくとも、自然に過去世からの因縁が消えてゆき、消えるに従って、本心本体の大光明が、自己や自国の運命となって現われてくるのでありまして、自然法爾(じねんほうに)的に平和な善なる世界がその人に、その国家に現われてくるのであります。

何故かと申しますと、人間自体、人類自体がつくったこの地球世界の悪や不幸や暗い波動なのですから、その波動を超えた、世界平和の大光明圏に常に祈り言を通して入りきっておりますと、その人やその国家は自ずと、大光明圏の住人となるにきまっております。人間世界とはそういうものなのです。

人類の運命も国家の運命も、大神の生命エネルギーをつかって、各自が想い想いの運命をつくりあげたものなので、そのつくった世界が嫌なら、その世界を自己の想念によってつくりかえてゆけばよいのです。ただ、その方法を人々はよく知らなかったのであります。

それを私は、守護の神霊の常々からの加護への感謝と共に、世界平和の祈りの中に飛びこんでいって、改めて、神のみ光によって、新しい平和な世界をつくりあげてゆくことを実行しはじめたのであります。

今日まで人類が歩いていた道は、穢（きたな）く汚れてしまっておりまして、しかも行き止りになっているのです。それを何んとなく知っていながらも、昔からの惰性で他の道を求めようともせず、足をひきずりひきずり、体中傷だらけになりながら、歩きつづけているのです。

ですから人類は、新しい道をみつけ出して、その道を進んでゆくことが絶対必要なのです。心ある人は、新しい道をみつけようとして他の方向に足をむけようとするのですが、前の道に蔽い茂っている雑草に足をすくわれ、余程意志強く何度でも何度でもその道を求めなければ、新しい道に足を下すことができないのでした。あまり無理をして新しい道にゆきつこうとすると、大怪我をして、新しい道に足をつけたと同時に、肉体の生命は終ってしまったりするのでした。キリスト者や仏教者や先覚者たちの受難はみんなそうしたものなのです。それはまだ、新しい道につづく分れ道がきていない時に行なったからなので、その人々は本当に大変なことだったと思います。

しかし今は、新しい道への方向がはっきり定まっております。今日までの道を進んでゆけば、行き止りがくることもかなりはっきりしてきました。多くの人々がもう道を変えなければと思いながらも、まだ新しい道を見出せずにいるのです。

私はその新しい道を、求めつづけて、ついに見出して、先ず自分がその道に入ってみました。入ってみると、何んという美しい明るい道なのでしょう。その道は天まですっきりとつながっている道です。天と地がはっきりとつながっている道だったのです。神々の姿や祖先たちの姿が、はっきりうき出してみえます。平和な気が四方に充ち充ちています。

その道に易しく入る方法も教わりました。それが消えてゆく姿で世界平和の祈りだったのです。

個人も国家も、どうしてもこの新しい道に入ってゆかなければ、その存続が失われます。絶対にもう道を変えなければならないのです。日本は霊の本の大和の国の本質を、この道の上で現わさなければならないのです。汚れた雑草の蔽い茂った道では霊の本の日本の本体は現われないのです。そういう道案内を私はしてゆこうとしています。

過去の因縁は、昔通った汚れた道は、もう遠くに消え去っていったのです。今新しい世界、平和の道が、天と地がすっきりとつながった、七色に光り輝やく美しい道が、私たちの前に全世界の人々の一日も早く来り集うのを待っているのです。

心を一つに世界平和を祈ろう

昭和44年2月〈白光〉発表

宇宙飛行士の勇気

米国宇宙船アポロ8号の成功に世界中が湧いて、競争相手のソ連さえ讃辞を惜しまなかった、というニュースは快いものでしたし、宇宙飛行士の安否を、我がことのように世界中の人々が気づかっていたのも、やがては世界中が一つにつながる、つながり得る人間の心の状態として明るい希望をわれわれにもたせてくれました。しかしそれはまだほのかな希望にすぎません。

一つの偉大な業績に対しては、敵も味方も感嘆し、その成功を祝福する、という心をもっている人間なのですが、残念ながらそれは一瞬のことであって、長つづきはしないのであります。お互いの自我が、本心の働きを阻止してしまうからです。

宇宙開発の競争は今のところ、米ソ二国の競り合いでありまして、アポロ8号の成功によって、米国がソ連に一歩先んじた感じになってきました。この宇宙開発競争が、その奥に軍事目的が隠されていなければ、米国が先んじようと、ソ連が先行しようと、どちらが先になっても、世界中は両手を挙げて、地球人類のためにその成功を祝福するわけなのですが、どうも両国の心の奥にある権力欲、世界征覇の野望が人工衛星や月利用によって達成され、世界戦争が月の世界にまで延長されてゆく、という大きな懸念があるので、世界中が宇宙開発の夢にだけ酔ってはいられないのです。

もっとも今日までの歴史が、戦争目的を遂行するつもりで開発していった科学力によって、逆に文明文化が進み、今日の便利な世の中になってきているわけなのですから、戦争目的で宇宙開発がなされていったとしても、やがてはその科学力が人類の進化に大いに役立つことになるのでしょうが、地上にあっては、そうした宇宙開発が戦争目的として使われる必要のないような、真実の平和運動がなされていなければいけないのであります。

私はアポロ8号の成功を祝福しながらも、ますます強く広く大きく祈りによる世界平和運動を推進してゆかなければならない、と心深く思ったのです。宇宙飛行士たちが日頃から積み重ねてきた、烈しい訓練、それに耐えつづけ宇宙飛行に成功した、あの意志力と勇気とを地上の人々が、完全平和達成のための参考にし、お手本にしていったら、世界の完全平和達成は夢ではないのです。

宇宙飛行を達成させた科学力もさることながら、宇宙飛行士たちの、自己を制する意志力とその勇気の偉大さには、ただただ敬服する他はありません。それはあたかも宗教の奥義に達した名僧のそれにも似ています。いかなる危険に遭遇しても、恐怖の想いを揺り動かさない科学力への信頼は、ちょうど宗教者が神の愛を信じきっているのとよく似ているのです。

自己の武力を信じて敵に向ってゆき、敵を滅ぼす、ということは、一種の自己陶酔になっていて、夢中という形容詞さえつけられます。しかし、宇宙空間にあって、ただ備えつけられた機械装置のみを信じて、冷静そのままにすべて処置してゆく心境というのは、武力で敵に立ち向ってゆくより、はるかに精神的にはむずかしい問題です。

真実の平和運動というものも、そのようなもので、敵が武力を増大したから、我も武力を拡張しようとか、敵が攻めてこぬうちに先手を打とうとかいう、昔ながらの心では、とても駄目ですし、平和をつくるためには、あの国が邪魔だ、あの集団をやっつけてしまわねばいけない、というような、敵をみつけて敵に向ってゆく、というような気持では、到底、真の世界平和運動にはなり得ません。

宇宙飛行士が、宇宙の法則に合わせた科学力のままに、宇宙空間を飛行してゆくのと同じように、自己の心を宇宙法則に合わせて、この地球社会の生活を成し遂げてゆく、ということが、個人にも国家にも人類そのものにも必要なのであります。真の平和運動とは、宇宙の法則に合わせて生きる運動なのであります。

宇宙の法則に合わせて生きる

宇宙の法則とは何かと申しますと、いつも申しますように、調和そのものなのであります。不調和な状態が起ったら、すぐその状態を調和に戻す、そういう繰り返しが、やがて地球を含めた宇宙の大調和を実現するのでありまして、その状態は、小は原子、素粒子の働きから、大は宇宙の星辰の動きまで、同じ法則によって支配されているのです。

正反合（せいはんごう）という唯物論者がよく使う弁証法的転換によって、この世が次第に進化してゆくことも事実なので、強大な国や集団が起り、それに相対する国や集団ができ、戦争によって一時は平和になったようになり、また乱れ、そして戦争、平和というように、思想的にばかりでなく、常に正反合と繰りかえされて、この世が進んでいっておりますが、それも目的とするところは、あくまで大調和世界なのであります。

人類は意識するしないにかかわらず、調和の世界を目指して進化しているのでありまして、人間各自誰しもが、自己の自由を求めつづけているのも、その一つの現れなのです。それは個生命の源である大生命そのものが調和している存在なので、その分れである小生命人間が、調和を欲っしないわけがないのであります。

それでいながら、この肉体人間、現象世界の人類は、争いの渦、不調和の波からぬけ出すことができなくて、親子、夫婦、兄弟姉妹から、各集団、国際間においても、調和しきることができずにおります。現に、調和そのものでなければならぬ筈の世界平和の運動が、ソ連派だの中共派だの、日共派だ、反日共派だというように、まるでわけのわからぬ状態になっています。

米国の軍備は侵略だが、共産主義の軍備は人民の軍備で平和のためだなどと、まるで道理に合わぬことを、道理と思いこんでやっている、心の幼い人が多いのですから、なかなか容易ではありません。

平和というのは調和ということと同じです。ですから、平和ということを口にするならば、その人自体、調和した心境でなければなりませんし、調和しようと努力している人でなければなりません。誰か敵対する相手をつくって、それに対抗して向ってゆく状態ですと、人間の心は燃えあがってきて、やったるぞ、という熱気に燃えてきます。戦争状態の時の勇敢さというのも、全学連の暴力沙汰も、みんなそういう状態によって、かもし出された向うみずの力なのです。しかし、真実の勇気というものは、宇宙飛行士のように、一つの法則を信じて、その法則に沿う道に向って、冷静沈着に、自己の恐怖心や、不信感をじっと抑えて目的達成のために全力を尽す、ということなので、世界平和という個人も国家も人類も同時に救われる、という実に重大な運動には、こうした勇気が必要なのであります。ただ一時の熱情とか、カッコいいからやるとかいうような、浅い浮ついた気持では、困りものです。

真の信仰　真の勇気

真の信仰というものは、宇宙の大調和の法則を信ずることであり、神の大愛を信ずることなのです。そのためには自己の心を常に調和の状態にもってゆくよう瞬々刻々の努力が必要なのです。日頃のたゆみない努力精進こそ、こうした人格をつくり出す重要な行なのです。私は世界平和達成の悲願のために、神に生命とすべての運命をお返ししました。そこから改めて、私の祈りによる世界平和運動がはじめられたのです。私には倒す相手もなければ、倒される相手もありません。ただ、神の大調和のみ心が働きつづけているだけです。敵を認めて、それを倒さねば平和が達成されないなどという平和運動はありません。倒れるものは自（おの）ずから倒れるのでありまして、こちらから倒さねばならぬものではありません。

眼前を去来する敵のようなもの、世界平和を妨げようとするもの、そういうものは、すべて、宇宙大調和の法則を外（はず）れているものなのですから、いつかは自然に消え去ってしまうものなのでありまして、人為的に力をもって倒す、というものではないのです。ですから私どもは、そうした世界平和の妨げになる種々の要素が、私どもの眼前を通り過ぎてしまうまで、そして消え去ってしまうまで、いかなる屈辱をうけましょうとも、いかなる障害となりましょうとも、恨むことなく、恐るることなく、退くことなく、ただひたすら大調和の法則である、人類愛の祈りをしつづけてゆく、耐え忍ぶ力、即ち真の勇気が必要なのです。

植芝盛平翁の合気道のように、どのような強力な技を以って攻めてきても、いかなる武器で立ち向ってきても、植芝翁を倒すことはできません。それは何故かと申しますと、植芝翁が、宇宙の調和の法則と一体となっていて、肉体のようにみえる体が、もはや霊体そのものになっている。いいかえれば、物質界の力ではどうしようもない。微妙な波動体に還元しているからに他ならないのです。その原理を、植芝翁はその五尺そこその体において現わしているのであります。

私どもの人類愛の祈りである、世界平和の祈りは、植芝翁の合気道の原理と同じでありまして、世界平和の祈りの波動によって、私どもの周囲が光明波動、神霊波動に包まれてしまって、人を損い傷つける暴力波動とは次元を異にしてしまうのです。そう致しますと、いかなる敵とみえ、障害とみえるものも、いつしか消え去ってしまって、平和な明るい道がそこに開いてくるのです。そういう状態にゆきつくまでは、幾多の困難もありましょうが、すべては消えてゆく姿と観じて、平和の祈りを祈りつづけることが大事なのであります。そういう覚悟に徹しないと、いつかはこの地球界は大戦争や天変地変で滅亡し去ってしまわねばなりません。

心を一つに平和を祈ろう

私ども人類は、好むと好まざるとにかかわりなく、今日までの唯物観的次元を超えて、神霊波動の次元に昇りきらないわけにはゆかないのです。武力を持つ持たぬよりも以前に、人間精神を破壊の精神から大調和の精神にまで向上させておくことが必要なのです。そのための忍耐、そのための勇気を得ることに、これからの人類は絶対に努めなければなりません。

それは宇宙飛行士ほどには精神力も意志力も勇気もいりません。あれほどの意志力や勇気をもっている人は、そうざらにはないからです。またあれほどの精神力を養うためには、充分なる特別な訓練と、科学的知識が必要になってきます。ですから、あれほどにすべてが急速になることは無理なことといえましょう。

そこで私は、誰にでもやさしくできる、宇宙法則に乗る方法、大調和精神に叶う方法を神様によって、皆さんに伝達しているわけなのです。それが、消えてゆく姿で世界平和の祈りなのであります。敵を認める想いも、社会の悪を嫌悪する想いも、自己の想念所業を裁く想いも、他をひぼうする想いも、恐怖の想いも、妬みの想いも、恨みの想いも、すべて、この世の不調和な波動の消えてゆく姿と観じつつ、ひたすら世界人類の平和を祈念する、世界平和の祈りの中に入れきってしまう日常生活をしつづけることなのです。

それはちょうど瞬々刻々の呼吸をするように、自然な気持でなしつづければよいので、特別に気張ってやる必要も、力を入れてやる必要もないのです。ただひたすら、守護の神霊の加護を念じつつ、守護の神霊の加護に感謝しつつ祈りつづければよいのです。

そこで日本中の人々が、世界のすべての人々が、心を一つにして、この世界平和の祈りを実行してゆけば、自然と、地球世界を蔽っている不調和な波動が、神の大光明波動によって消されてゆき、お互いの心が通じ合って、世界平和への道がひらけてくるのであります。神は愛であり、大調和のひびきであり、人類の親様であることを、よくよく考えてみて下さい。

武力を抑える力

昭和52年6月〈白光〉発表

人間は神の子

人間神の子ということは、光明思想の宗教者なら、誰でもいうことでありますが、罪悪深重の凡夫であるという真宗式の教えまでゆけばよいのですが、人間は悪の想いが多くて、駄目なものである、という考え方になると全く相反してしまうので、この大きな二つの考えの距(へだた)りを一つに結ぶ道が、なかなか見つからずに、今日まで来ていたのです。

本当に人間というものは、複雑な存在者で、なかなか一口や二口で説明できるものではありません。しかし、心を澄まして、じーっと過去をふりかえってみますと、この大宇宙を創り、最初の人間を創った大智恵、大能力の大きな力を感じます。感ぜずにはいられません。

この大きな力を人間は、仮りに神と呼んでいるのであります。

良いにつけ悪いにつけ、人間はその神の力なくしては、この世に出現することも、存在することもできません。できると思う人があったら、初めから自分で生れ出て、自分で育ってこなければなりません。他動的に生れ、他動的に成育してきて、自分の力で何事もできる、と思うのは余程、愚かしい人間に違いありません。

人間は誰がなんといおうと、光明思想で説くように、神の子であることに相違ないのです。だが、人間がこの世で生活している様子をみていますと、随分と神のみ心の愛や、美に反した行ないを、みんながしております。自我欲望と憎悪や妬心に満ち溢れた世の中になっております。勿論そういう想いばかりではなく、神のみ心である愛や調和の心も随分ありますが、世界の大勢は、自我欲望の争いの波に抑えられています。近頃、もっともそのはっきりした現れは、ソ連の日本に対する態度で、本来日本の領土であることがはっきりしている北方領土を、あくまで自国のものとして返そうともせず、二百カイリ水域の問題をよいことにして、それを確定させようとしています。それに驚いたことには、自分のほうから勝手に侵犯してきたミグ二十五の賠償金を日本に要求しております。これなど、全くずうずうしいにも程があって、個人間のことであったら、たちまち社会から除外されてしまうような馬鹿気た在り方です。

国という大きな集団になりますと、個人個人の業が集っている、という以上の考えられもしない悪逆非道なことや、恐しいことを平気で行なうようになります。個人ならば、一人の人間を殺しても大変なことなのに、国家間の戦争などでは、何百万という人を殺しても、個人が一人の人間を殺したことよりも平気な顔でいます。それ程に国というものの業想念は強く厚いもので、神の光を覆ってしまっているのです。

人間本来神の子なのですから、愛と美と調和の心で生活しているはずなのです。しかし事実はそうではありません。愛と美と調和の面もあれば、今書いてきたように、業想念の不調和な波におおわれてもいます。この相反する心をどうしたら一つにして、本来の神のみ心に合致させたらよいのでしょう。そこが真の宗教の教え導くべき道なのです。

聖者は魑魅魍魎（ちみもうりょう）を語らず

宗教の話には、天国、地獄の話もあれば、地獄、極楽の話もあります。人間はみな天国や極楽にあこがれながらも、地獄の状態も知りたがっています。

　私は光明思想家なので、神界や天国の話はしますが、地獄の話はめったにいたしません。魑魅魍魎（ちみもうりょう）を語らず、というのが宗教の道の根本だからです。いつも申しますように、人間はその本源を神のみ心の中にもっていますので、神のみ心がそのまま現われれば、人間の世界は天国そのもの、極楽そのものになるのでありますし、ついにはそういう周囲の状態に気を取られず、愛と調和一念で生活してゆけるようになるのです。人間の運命は、すべて自分の想念行為がつくってゆくのでありまして、常に神のみ心の愛と調和の中に、自分の想いを昇華させておけば、行ないも自（おのず）から愛と調和の行ないになってゆき、周囲からも同じ行ないが自分に返ってくるのです。

　しかし、自分の想念をいつも地獄絵の中においたり、この人類社会を悪や不幸の世界と思いこんでいたりすると、その人の運命は常に、そういう状態になってしまうのです。人間は神の生命エネルギーを基にして、いろいろと想い行なうのでありまして、基の力が神の力でありながら、自分の想いのままに、善でも悪でも造りだせるのです。人間の運命はすべて、自分の想念行為の産物なのです。

想念というものは厄介なもので、そのエネルギーの原点は、神の生命の中からきているのですが、神のみ心とは勝手にはなれて、自分の世界を造りだしてゆくから困るのです。こういう人間のままでゆけば、やがては核戦争が起る公算が大きいし、天変地変や公害や資源不足等々で、亡びてしまう公算も大きいのです。

神のみ心を映し出すために

といっても、この世を善のみと見、調和だけの世界とみることは、現在、現われている現象が、あまりにも悪や不幸に満ちていたり、争いの想いが多かったりするので、なかなかむずかしいことです。

先日もテレビのＦＢＩという映画を見ていましたら、平和の使節の司祭さんが平和を邪魔する暗殺者に狙われているというので、ＦＢＩの人たちがこれを守ることになりました。司祭さんは、平和の運動をしている私を殺そうとする筈がない、誰でも皆、平和を願っているのだから、私はそういう悪をみない、といいますと、ＦＢＩの人は、司祭さんはそうおっしゃるけれども、この世には平和を願わない人もいるので、あなたのような人が邪魔になることもあるので生命を狙ってくるのです。現に、狙っている人たちのことがはっきりわかっているのです、といいます。司祭さんとＦＢＩとの間には、このように全く反対な人間観があるわけです。

この現象世界においては、ＦＢＩの人の言葉のほうが、現実感に溢れています。しかし、神のみ心は、司祭さんの心のほうを支持します。このようなアンバランスの想いが、至るところにあるので、神のみ心がすっきりとこの世に現われることが、むずかしくなっているのです。

しかし、どうしても、やがては神のみ心をこの地球界に、すっきりと映し出さなければ、この地球界は亡びてしまうことになるので、できる、できないという問題でなく、人類が地球界に生き続けるためには、どうしても神との一体化を成しとげなければならないのです。神との一体化を成しとげる方法は、私がいつも申しますように、祈りなのであります。祈りも世界平和のような人類愛の祈りが、最も神と人類との一体化に役立つのであります。

高い境地にひき上げられる

　こういう祈りも、肉体の人間だけでは出来ないことがわかっておられる大神様は、各人に守護の神霊をつけられ、宇宙の和をはかる力として、宇宙天使を働かしめているのであります。そして、その宇宙天使は、宇宙の和をはかる一つの仕事として、地球の平和のために、地球界に働きかけている現在なのです。この現象の世界は、確かに玉石混淆の世界です。ですから、困った国や、困った人を助けあう運動もあれば、ソ連のように自国の欲望のために、武力で他国を威嚇しながら、自国の想いを通そうとしている国もあります。

　とにかく、悪や不幸、災難をなくして、調和した善の世界に、この地球世界を昇華させなければならないわけで、人間は全力を尽して、その道をさがしだし、その道を進まなければいけないのであります。幸に、守護の神霊や宇宙天使が、地球人類の救済に働いておられるので、肉体人間側は、それらの方々と密接に手をつなげば、高い境地にひき上げてもらうことができるのです。

　そのためには、この世のあり方を、善だ悪だといいあっているより、人間一人一人の想いを、守護の神霊のみ心に、あわせて生きるような真剣な想いが大事なのであります。
私はこのことを皆さんの実感になるまで、何度でも何度でも説き続けてゆくのです。

超能力者の援助なくしては

よくよく考えてみて下さい。現代この地球世界を抑えているのは、米国とソ連の武力です。武力というものは、一つ間違えれば、たちまち地球を破壊してしまうものとなります。ですから、この態勢では、世界中が常に戦争の脅威を感じ、一日として安心立命して生きてゆける日はないのです。

そしてもう一つの恐れは、資源の枯渇です。全世界から食糧がなくなり、石油がなくなる、ということは、計算上ではどうしてもまぬがれようがない未来として、浮かんでくるのです。それに加えて、天変地変という恐れもあるのです。一体この肉体人間の智恵だけで、どうして安心のできる地球世界を創りうるというのでしょう。地球人類はもはや、神々の援助なくしては、生存しえない時期に近づきつつあるのです。

よく考えれば、その事実は誰にでもわかるのですが、肉体人間の習慣性というものは、真理を考える余地を心に与えず、肉体人間の知恵や知識の範疇で、自分たちの運命を処理しようとするのです。ちょうど沼池の中をすがるものもなしに、歩き廻っているようなもので、一歩歩んでは足をとられ、二歩歩いては倒れてしまう、という状態なのです。現代では個人だけの個人というものは、存在しえなくなっています。個人というものは、すべて社会や国家と密接なる関連性があり、国家は、世界各国と切り離して考えることはできない存在となっているのです。日本なら日本の立場を考えてみましょう。

二百カイリの問題のように、魚をとるにしても、外国との政治政策の面での話合いがつかなければ、どうにも動きがとれなくなってしまいます。もう今日では、国と国とがはなれて生活しているという状態ではなく、一つの地球上の生活を保つために、お互いがゆずり合い、助け合ってゆかなければならない時代になってきているのです。

しかし、現実はどうしても助け合うことより先に、自国の利益をまず考えて、行動してしまうのが、国々の状態です。それを一番はっきり現わしているのが、ソ連なのです。ですから、そういう国々との和を保ち、調和をはかるために、そうした国々より力の優ったものの援助がなくては、どうにも行動のしようがありません。

日本を守る神々の力

私は、その力の優った方々を、守護の神霊と呼び、宇宙天使と呼んでいるのでありまして、事実、この方々の守りは、非常に力強いものなのです。第二次大戦中に、戦勝者側が日本占領後の取りきめをしている事柄が、最近、アメリカの資料でわかってきましたが、日本は、米ソ中英の分割占領ということになっていたのです。そうなった時のことを考えたら、考えただけでも、身ぶるいがする程のものです。勿論そうなれば、天皇などなくなってしまい、四ケ国の支配者は、お互いの我欲で、日本を支配することになっていたのです。

そうならなかったということは、日本を守る神々の大きな力といわなければなりません。日本は、地球世界の完全平和達成のための重要な立場に立たされている国なので、その働きができないような環境には、神様はしなかったわけです。そういう点で、天皇の存続も神様のみ心である、とはっきりいえるのであります。

個人に天命があると同じように、国家には国家それぞれの天命があるのです。日本の天命は、重大なので日本がその天命を果さなければ、地球世界は滅亡してしまうのです。私たちは、世界平和の祈りの中に、日本の天命が完うされますように、という祈り言を入れてあるのもそのためです。先にも申しましたように、日本の天命は、地球世界の完全平和を達成させるための調和の働きなのですから、私たち日本人の一人一人も、それぞれ細かい部分では、いろいろの天命がありますけれども、根本は地球世界平和達成のための働きであるわけです。

ですから、世界平和の祈りのような祈り言を根源にして、日々の働きを続けてゆくことが大事なのであります。世界平和ということは、ただ思っているだけでは、達成されるわけではありません。その想いを祈りにまで高めあげて、神のみ力をこの地球界において、充分に発揮していただけるようにしなければならないのです。

神さま主役の人生を

いつでも、人間の想いと、神様のみ心とが一つになっているような生き方を人間側がしてゆかねばなりません。それが日々瞬々の世界平和の祈りなのです。たゆみなき守護の神霊への感謝は、知らぬ間にその人の能力を増大させているのであります。

神様といったって、大生命の能力といったって、人間にはその働きが、見えも聞えもしないのだから、やっぱり自分自身の力で、この世の生活をやってゆくより仕方がない、と個人はいい、国家は国家で、全く人間自体の力を結集して、自国の利益を守ろうとしています。そこにたまたま現われる神という存在は、ほんの脇役として現われるにすぎません。すべては、肉体人間の力が主になっています。そういう国と国とが、ぶつかり合っているのですから、なかなか理想のような世界平和に近づいてゆくことはできません。できないといって、今日までのやり方で各国家が進んでゆけば、地球は滅亡するより仕方がないのです。国家が神のみ心のとおりに働いてくれることが、即世界平和実現ということになるのですが、物質的欲望でそういうことには、今のところなれそうにもありません。そこでまず、先達として、個人個人の神のみ心を理解した人々が、神のみ心実現の働きをしてゆかなければならないのです。

武力にまさる力

私どもは、世界平和の祈りで、世界中の幽界の汚れを、神々に浄めていただき、国家人類が神のみ心に、少しでも早く波長が合わせられるように、運動をしているわけなのです。誰がみても、アメリカやソ連の武力の前で、日本が武力で対抗できっこないことは、わかりきったことです。

もしソ連ならソ連が、武力を背景にして、日本に横車を通してきた場合、日本はそれにどう対処したらよいのでしょうか、それと同じように、強気だけで向っていったとしても、武力を背景にした強気には、かないっこありません。そこで、単なる強気で向っていったところで、局面がよい方向に展開されるものでもありません。

ここが一番大事なところでありまして、武力に優る力をここで発揮しなければなりません。それは何の力かと申しますと、絶対なる調和力です。この調和力は、自分を肉体人間の自分として、相手と同じ立場にたっているようでは、効果はありません。自分が神の子として、神の力と一つなのだ、という祈り心があって、はじめてそこに大きな力が発揮されるのです。昔の聖者賢者は、すべてそうした力で道を行なってきたのであります。一国の運命を、しかも地球の平和を達成させる天命をもっている日本のような国が、いざという時にその力を発揮しないわけはないのです。

前にも書いたことがありますが、米国やソ連が、世界にはばをきかせているのは、強大な武力をもっているからです。そして、この二国に世界の運命をまかせておけば、常に世界は戦争の脅威にさらされながら、生活してゆかなければなりません。そこで、世界を完全平和の方向にもってゆくためには、米国やソ連の武力を抑える力をもって、立ち上がらなければなりません。核爆弾をはじめ、すべての武力が使えなくなる、そういう科学が生れでたら、米ソの世界での地位は、がっくり落ちてしまうでしょう。そういう科学がやがては必ず生れでなければなりません。私どもは宇宙天使の指導のもとに、大調和に向かう科学の研究を続けているのですが、科学の専門家の方々も、一身かけて大調和科学を誕生させる方向に研究の道を開いてゆくことが必要なのです。

これは、大国の科学者より自国に武力のない科学者のほうが、切実に研究にとびこんでゆけると思います。これは、夢物語ではなく、やれば出来る問題なのです。その日のためにも、私たちは日々世界平和の祈りを祈り続けているのであります。

世界平和の祈りに徹しよう

昭和52年11月〈白光〉発表

底まで通った神の子論

人間神の子という教えは、元は神道の教えであり、光明思想の根本でもあるわけで、私も常にその真理を説き続けているのであります。人間は本来神の子なのだから、悪や不調和はなく、完全調和した存在なのである、だから悪や不幸や争いや、大きくは戦争などという事柄があるわけがない、というのが光明思想の根本になっているわけです。

ところがこの現象の世界の実際の現われは、悪も不幸も争いも、善事以上に起っているのでありまして、一切の悪や不幸や争いを超越して神の子完全円満で押し通してゆくのは、よほどの高い深い悟りにならなければ、できないことなのです。できる人は勿論人間神の子だけで生き通してゆけばよいのですが、私の知っている範囲では、それ程の悟りに入っている人は、滅多にいないのであります。

そこで私は、人間は本来業生ではなく、神の分霊である、と真理を説きながらも、この現象界に起っている、悪や不幸や不調和な事態は、自他を含めて、すべて過去世から今日に至るまでの、神の心を離れていた誤りが、そういう不完全な想いや、出来事となって現われてくるのである、だから、そういう想いやそういう事態が現われてきたならば、人間は本来神の分生命であるのだから、守護の神霊の加護の下に神様のみ心の中に昇華して、その大光明の中で、その誤ちを消していただき、本来の神の子人間の姿に、もどしていただくとよい。

そうするためには、世界平和の祈りのような、神界と肉体界とをつなぐ大光明波動の祈りによって、行なってゆけばよいのだ、と説いているのであります。

そういう祈りの実践をしていますと、何時の間にか、自分の周りも光明化して、自分の周囲の悪や不幸が消え去ってゆくのであります。

消えてゆく姿のない神の子論では救われない

これが、人間神の子悪や不幸はない、という生き方だけで押し通してゆきますと、自分の前に、悪や不幸がとびだしてきた時、ないと否定しているものが現われてきたのですから、いったいどう処理してよいのかわかりません。そこでその事実に目をつぶって、ないないづくしで、神様の子である自分の心を呼びもどそうとします。

しかし、自分の病気ならまだしも、幼な児の病気であったり、会社や商売の不振で収入がなくなってしまったりした場合、神の子本来の安心立命した心が薄らいだり消えてしまったりして、落ちつかなくなってきます。また思いもかけない災害にあったりします。そういう時に、自分は神の子なのに、そして神は完全円満なのに何故こういう災害に自分があわなければならなかったのか、という疑問がおこってきます。完全円満の中から不完全が生れてくる筈がないからです。神の子人間だけでは、この説明がつかないのです。そこである宗教では、片方で神の子人間を説き、片方で精神分析の方法を取り上げて、両面で道を説こうとしています。

そうしますと、或る時は神の子完全円満を強調し、或る時はおまえの心が悪い、君の心が悪いというように、業生の環境や出来事を把えて、お互いが責めあったりして、神の子人間がどこかに消えてしまいます。

こういう玉石混淆の世界においては、神のみ心の善のみを認めて、悪や不幸や争いを一切を認めないで生きるということは、普通人間としては、とてもむずかしいことなのです。

ですからどうしても、お互いの心の欠点を指摘し合って、その誤りを正してゆくという方向のほうがらくなので、つい精神分析的な、悪や過ちをえぐりだす生き方に重点がおかれてしまうのでありまして、人間神の子の真理そのままの生き方は、影がうすれてしまったり、単なる慰めの生き方になってしまって、いわゆる、偽善者になってしまうのです。

争いもなければ敵もない、と強調しながら、一方では国を守るためには再軍備をしなければならない、軍備がなければ共産主義国に侵略されてしまう、日本にも原爆があったほうがよいと、普通の政治家や思想家でもあまりいわないことを言外に匂わせている光明思想家もいます。敵がないのにどうして共産主義国が敵になって、侵略してくるのでしょう。矛盾撞着甚だしいといわねばなりません。

人間神の子だけでは、このように無い敵も現われてきます。現代の世界は、まだ神の子完全円満で通すには、神を離れている想念波動が大きいのです。いわゆる悪や不幸や争いの想いが黒雲のようになって、神の子の本心が現われるのを、大きく妨げているのであります。ここのところが非常に問題なので、人間は本来完全円満な神の子なのですけれど、ただ簡単に神の子だ、神の子だと思おうとしても、生れ変り、死に変りしてき、想念波動の蓄積してきた、悪や不幸や争いを認める想いがかなり強くありまして、全ての出来事、事柄をよしと思える程にはなっていないのです。

人間の悩みを解く答が出ているか

人間の肉体の行為は、神体霊体幽体という肉体以外の体の中から現われてくるもので、神体、霊体から直接現われてくるような行為なら、万万歳で神の子の行為となるのですが、実は肉体の波動に一番近い幽体から現われてくる行為が一般的には一番多く、この行為が玉石混淆された行為となっているのであります。そこで、人間は勿論本来神の分生命なのですから、常に自己の本心のほうに想いを向け続けておれば、何時も神の子人間でいられるわけです。そのように本心に想いを向け続けている方法が祈りなのです。

本心に想いを向け続けている間にも、幽体に積み重ねられている神のみ心を離れた誤てる想念行為が、しきりに行ないとして現われてきますので、なかなか行ないが良いほうだけに、あらたまってゆきません。そこでそれらは全て、過去世から今日に至るまでの誤てる想念行為の消えてゆく姿なのだ、とあらためて思って、世界平和の祈りを祈りつづけてゆきますと、そこで初めて、大きく業生の波が消されて、その人の行ないが、神の子人間として、ふさわしいものになってくるのであります。

大宇宙の運行から、地球人類の運命に至るまで、神のみ心の働きによってなされているのだ、と簡単に割り切っている神の子論者では、この世の争いや、不幸、災難にさいなまれている多くの人々の満足できる答はできません。悪や不幸や災難や争いなどというそうした不調和な心をもたない大神様のみ心の働きの中で、どうして自分たちは不幸や災難に苦しみ、世界の各国は陰に陽に争い合っているような人類世界が存在しているのだろう、と神の完全性に疑問をもつか、神の存在をただ生命の基としたり、あるいは神の存在を否定している人たちが随分と多いからです。こういう人たちに、唯この世は神の世であるのだから、すべてを神様のみ心におまかせしておけばよい、という神の子論は、現実の現れと、神という理想の姿とが余りに違いすぎまして、素直にその論を納得するわけにはゆかないのです。納得するというより、かえって、反抗心すらそそられるのであります。

神の子論は、真理ですし、そうでなければ、この世が救われるわけがありませんが、現実の玉石混淆の現われとは、余りにも距離がありすぎます。神の子論では、悪がないのに現象世界には悪が多く、神の子論では争いがないのに、この社会では個人の間にも、国際間にも、争いに充ちています。そういう風に数えれば、反対に現われていることがたくさんあります。

神の世界と業生世界をつなぐ柱

そこで私は、神の子論者でありながら、一度業生の世界に住みついて、神の世界と業生の世界とをつなぐ梯子というか、エレベーターというか、上下を往来(ゆきき)できる心の乗り物をつくりだしたのであります。その乗り物が、消えてゆく姿で世界平和の祈りなのであります。このことは、もう幾度書いたかわかりませんが、この真理をよく知ってもらわないと、ただ単なる光明思想になってしまいます。

消えてゆく姿という言葉は、神様の赦しの言葉でありまして、自分の持っている悪い想いも、他人の行なっている誤った行為も、それが現在生れている想念行為であるとしますと、そこで神の子の光明思想は消えてしまいます。そして、自分を責め、人を裁く、悪や過ちの暗い面をつかんでしまうことになります。それではいくらたっても、明るい調和した世界は出来上りません。

そこで私は、そうした誤った想念行為を前生、前々生という過去世における神の完全性を離れた想念行為の現われとして、その想念行為が、自分たちや社会国家人類の不為になると思ったら、その想念行為は現われては消えてゆく、というこの世のあり方に照らして、消えてゆく姿、とみなしてゆくのです。そしてその消えてゆく姿をどこへやってしまうかというと、祈り心にのせて、神様の大光明の中で消し去ってもらうのであります。そういたしますと、再び同じ波はもどって来ませんで、悪や不幸災難や不調和な想いは、それだけ消え去り、神の子人間の光がそれだけ強くなるのであります。それが悪や不幸や、災難をそのまま把えていたならば、何時までたっても、その人の心の光明心は強くならないのであります。

悪や不幸を消し去るコトバ

消えてゆくという言葉は、悪や不幸を一度は把えても、すぐに神の本源の世界で消してもらえる祈り心と共に、この人類を真の神の子の世界として、造り直す行為となっているのであります。悪や不幸や不調和をいくら否定していても、その想念波動を消し去るすべを知らないのでは、その悪や不幸や不調和の波はぐるぐる廻りしていて、消えてはゆかないので、何時までたっても玉石混淆の人類世界が続いてゆき、遂には地球は破滅してしまうのです。

そこでどうしても、悪や不幸や不調和の波を消し去ってしまわねばならぬのです。世界平和の祈りは、世界平和を祈る光明心と、守護の神霊への感謝の心にのって、業生の想いが救世の大光明の中で消されてしまうのであります。一人が行ない、十人が行ない、百人が行なう、というようにこの祈りが広まってゆけば、やがては地球界の業生の波は神のみ心の光明だけになってゆくのであります。そうなるために、私共はいろいろと祈りの運動をしているのです。

何んにしても、形の世界だけを改めようとしても、なかなか改まるものではありません。

社会党にしても、自民党にしても、大体同じような考えの人が集まった集団でありながら、共に党内での争いが絶えないのであります。それは心の根本を大調和の神のみ心の中においていないで、肉体人間という玉石混淆の想念の中で、お互いのあり方を批判し合っているからであります。

今日では、心の根本をこの肉体界に出してゆかなければ、つまらない枝葉のことで、論議し合い、争い合って、統一した集団にはならないのです。一党一党すらそうなのですから、国とか、国際間の問題とかで、統一が出来る筈がないのです。人類の最大のマイナスである、神のみ心を離れた、自我欲望を個人も人類も捨て去らなければ、自らの歩みで、自らを落し穴に落してしまうのです。

宗教の世界には絶対力しかない

宗教で他力や自力と修業の道を分けたりしていますが、実際は宗教の世界には絶対力しかないのであります。何故かと申しますと、永遠に実在するものは、神のみ心以外に何ものもないのでありまして、人間も神の生命の一筋として、働いているのです。

ですから、すべてを神への感謝として、守護の神霊への感謝行で、日々を生きていれば、絶対者である神のみ心が、守護の神霊を通して、人間に働きかけ、肉体人間のほうは肉体人間そのままで、神のみ心を行じ続けることができるようになるのであります。

よく狭い自力修業の人が、他力の人を馬鹿にして、自力以外で悟れるわけがない、というようなことを言っていますが、自力と思うその想いの湧いてくる原動力は、生命自体の力でありまして、自力を超えた絶対力なのであります。他力というのは、はじめから自己の肉体的なすべての力を、神様に託してしまって、神様のほうから日々いただき直す、という生き方でありまして、どちらも絶対力である生命の働きを自己としているのであります。

他力的に行なおうと、自力的に行なおうと、どちらにしても、絶対力によって、動かされているのですから、自分にあう方法で修業したらよいのです。

仏教に大乗仏教と小乗仏教というのがありますが、人間神の子、完全円満の光明思想と同じである、大乗仏教の仏は我が内にある式の生き方のほうが、枝葉の善悪を細かく気づかって、自他の行ないを正してゆくことだけに把われている小乗仏教より、おおらかで人生を明るくする生き方だと思います。

しかし、大乗的生き方も間違うと、高慢になったり、なげやりになったりして、普通の人以下の生き方しかできなくなってしまう人もいます。そうなると枝葉の善悪に把われ、戒律に把われている小乗的な生き方のマイナス面と、マイナスの点においては違わなくなってしまいます。

神のみ心

要するに宗教を求めるのは、神と人間との関係を正しくし、安心立命の生き方がしたいからなのですから、自分が神のみ心のままに動いている、という自覚に達することが必要なのです。そしてそれが悟りの境地ということになるのであります。

ですから、どのような方法で修業をしようと、その境地に達すればよいわけで、私はそれを、消えてゆく姿で世界平和の祈りという道に生かしているのであります。

神のみ心というのは、今更申し上げるまでもなく、愛の心であり、美の心であり、大調和の心であります。争いや欲望や妬み、うらみ等という不調和な想いは、勿論神のみ心をはずれた想いです。

宗教信仰といわなくとも、神のみ心のままに生きるということは、愛と美と真と善という大調和の心を、少しでも多く現わしてゆくことであります。いくら言葉で神様、仏様といっておがんでも、常に神社仏閣参りをしていたとしても、前記の心にはずれていたら、その信仰は浅いものであるといわねばなりません。人間は神の分生命に間違いないのですから、その生命の本質を充分にだしてゆきさえすれば、この世に神の国をつくり上げてゆく働きとなるのであります。

気ということについて

ここで人間が生きてゆく上にとって、大事なことである「気」ということについて、一寸お話ししておきましょう。

気というのは、普通、勇気、根気、短気、元気、和気、合気等々いろいろと使われていますが、根元は宇宙大生命の心のひびきのことをいうのです。そのひびきが、合すれば合気であり、和すれば和気であり、ひびきの範囲が短かくて、とどき合わなければ短気というし、楽天的で大らかならばのん気という、というように表現がなされているのであります。この気を力強くとらえれば豪気といい、その反対が弱気というのです。

確かにこの気がしっかりしていなければ、ろくな生き方はできません。その反対に勇気があり、和気に満ちているようであったら、人に立てられずにはおかれません。

この大事な気というものを、何時も澄ませ清らかな正しいひびきにしておくためには、どうしたらよいかと申しますと、これもやはり神との一体化を願う祈りによることが必要なのです。それも個人的な祈りだけではなく、世界平和の祈りのような大きな祈りがよく、有効なのであります。

こうした祈りをしておりますと、自らが充実してまいりますし、勇気も湧いてまいりまして、自信をもって愛行ができるようになります。いわゆるこの世界を立派にしてゆくために必要である、善人が強くなってゆくのです。

私が何時も申しておりますように、悪人が強くて、善人が弱い、という世界が続いているようでは、地球の運命は善くなりっこありません。善人が悪人より強い力をもつようにならなければなりません。それには先ず、気力を充実させることでありまして、世界平和の祈りを祈りつづけることが、大事になってくるのであります。

宇宙の大気が何のさわりもなく、人間にひびき渡ってくる時、その人は聖なる人あるいは偉大なる人、といわれる程の行跡をこの世に残してゆくのであります。

私たちが世界平和の祈りを祈りつづけていますと、肉体人間と守護の神霊と神そのものである直霊との一体化がなされまして、自分で気づかずとも、聖者賢者と同じような働きをしていることになるのです。

近来では私共の世界平和の祈りにのって、宇宙天使たちが、何かと応援してくれています。宇宙子波動科学の指導などは、地球世界の運命を根底から建て直す程の力を秘めております。宗教と科学の一体化が、少しずつ叫ばれていますが、宇宙子科学の誕生からみると、宗教も科学も全く一つ神のみ心から湧いてきているのでありまして、両者共に自然に一つになって、この地球世界の進化をはかってゆこうとしているのです。

どうぞ皆さん、神様の大愛を信じられて、世界平和の祈りを根底にした生活を続けていって下さい。地球世界の運命を救うのは、神々と、一体になった肉体人間の働きによるのであります。

世界平和の祈りの道

白光誌三百号によせて

昭和54年10月〈白光〉発表

神のみ心との一本化に終始

三百号というと、二十五年になるわけですが、消えてゆく姿で、世界平和の祈りという、同じ内容のものを、いろいろと表現を変えて書きつづっているのですから、他(はた)からみたら、大変な苦労にみえるようです。

長くつづいている他の雑誌の執筆者は、その教えによっておかげを得た人々の、いわゆるおかげ話をもってきて、その誌面の大半をその解説にしているようなので、私もそういう風にしてつづけてゆけば楽なわけなのですが、私は自分でおかげ話を書くのが、何んとなく面映(は)ゆい気がして、真向から教えそのものを書きつづけているのです。会員さん方が、自分たちのおかげ話を発表なさるのは、これは非常に有意義なことで、法施ということになり、教えが強化されてゆく道にもなりますので、実に結構なことなのですが、私が会員さん方の現世の利益を、教えの解説と一緒に書いてゆくことは、兎角現象利益に多く気を取られてゆく傾向にある現代の信仰者にとって、より一層現象利益に心を傾かせるようになって、折角の深く高く、そして容易にその道を昇ってゆける白光の教えの真価を、低くしてしまうような気がして、余程でないと、現世利益のことについては触れないことにしているのです。

実際に、非常に深い信仰の道を進んでいるような人でも、次々と現世的には不幸なことや困ったことが出てきて、真実の利益を得るのには相当年月がかかることもありますので、宗教信仰しているから、誰でも、いつでもすぐに現世利益があるかと申しますと、勿論あるにきまっていますが、人によって時間経過が違うわけです。宗教信仰の根本は、結局は、この世でもあの世でも、どんな自分に都合の悪いようなことができても、そういう現世の事件事柄には把われず、神のみ心の真善美のひびきと一つになって生きぬいてゆく、という、神のみ心との一体化を自分のものにしてゆく道にあるのです。と申しましても、自分でも気づかず永遠の生命とのつながりを深くしてゆきながら現世利益を得ていることもあるのでして、病気が治った、貧乏が直った、と派手やかに宣伝するような、その場その時々だけのおかげ話は、時には、しっかりした唯物論より低い生き方になってしまうことさえあるのです。

唯物論のしっかりした人の中には、自分の努力や意志力によって、かなり立派な生き方をしている人がいるものですが、只惜しむらくは、神のみ心という、生命の根本とのつながりをもたないので、真実の安心立命を得ることも、あの世でよく生きることの用意もできないままで、この世の生を終ってしまうのであります。

地球の進化についてゆけるか

現世利益の宗教信仰の人は、それが浅い宗教心にしても、神仏とのつながりをもっているわけで、いつかは深い信仰になってゆく機会を得るのですが、この世が主になっている世界では、唯物論者のほうが、しっかりとした頼み甲斐のある人間のように思われるのです。

現代の日本の指導者階級や先頭に立って働いている人々には、学者やジャーナリストなどに多いようにみうけられる、純然たる無神論唯物論者と、根本は唯物的だが、御利益信仰的な宗教観念は少しはもっている、というような保守系の政治家や、実業家で大半は占められているようです。ともあれ、どちらにしても、この程度では、根本が違っておりますので、地球の進化についてゆける人格をもっていないことになりまして、こういう人たちに地球の運命をまかせておけば、やがては地球滅亡の方向に向っていってしまいます。

何故かといいますと、唯物論者では、お互いが有限の物の世界に生きていて、物のやりとりで、かならず争い心を起こすからであります。それは現在の国際関係をみていればよくわかることです。その場その時々のやりとりだけでは、世界が平和になるわけがないので、根本が神のみ心の愛と調和に真っすぐに通じた行ないでなければ、人類世界の今後の発展も進化もなく、お互いの国の利害関係でまた、戦争をひき起こし、地球を滅ぼしてしまいます。現に各国の常識ある人々が、口をすっぱくして、核実験の停止を叫んでも、核兵器をもった国々は、それが地球を傷めるということが判っていながらも、実験をつづけています。

その時々の自国の実力誇示の為には、後々の地球の運命を考える余裕がない状態に心がなってしまっているようです。こういう国が何カ国もあるのですから、人間の根本の心が間違っているというより言いようがありません。このままの人類の心では地球はもうどうにもならないところまで追いつめられてきていることになります。

神界の図面、幽界の図面

ここにおいて、地球を救う唯一の方法は、地球の生みの親であり、人類生命の親でもある、宇宙大神にすがりきって、今後の生き方を指導して頂くより仕方がありません。大神様は人類はもともと御自身の生命の分れであり、地球や宇宙の星々は、皆御自身で創られたものなのですから、すべてを次第に完成させようとしておられ、今回は地球人類を神のみ心に叶った立派な人類に仕上げようとなさっているのであります。

このことは、人類として生命が神から分れて独立する以前から定められていたことなので、今日の不調和そのもののような状態も、地球人類が完成される過程として通過してゆく道順なのであります。人類の運命というものは大きく二つの方向が定められていて、人間自体の業所業(カルマ)がそのまま現われて、地球を滅亡させてしまう、これは幽界にはすでにその下絵が画かれているという状態になっているのですが、神界の図面には、完成された人類の世界が画かれているのです。ですから一度は幽界に画かれている人間の業想念所業の波の通りの世界が現われようとしているのですが、やがては、神界の神霊方の働きによって、神界に画かれている天国図が地球人類の運命として現われてくることになるのです。そういう運命に人類をもってゆくのは、やはり人間自体の生き方が大事なのでありまして、その生き方が神との一体化の生き方、世界平和の祈りによる、愛と真の生き方なのであります。

そして、もうすでに、神界の図面が実現すべき道である、世界平和の祈りが、今日では実行されているのでありますから、現在実行されている世界平和の祈りの道をますます拡げ強化してゆけば、幽界に画かれている、地球滅亡の暗い波は、救世の大光明波動によって、消されていってしまうことになるのであります。

このように地球人類の運命は、神のみ心のままに進化してゆくことになっているのです。そこで私どもは神のみ心の通りに動いてゆけばよいのです。神のみ心の通りというのは、愛と調和、真善美というように、明るい調（ととの）った生き方をしてゆくことなのです。

運命の糸

ちなみに、人間各個人の運命も、大半は定まっているのでありまして、もうすでに昇天されている会員さんですが、この方が、私が何歳かぐらいの時に、或る霊能のおばあさんに指導して貰っていて、ふと昔の有名な坊さんのことを聞いたのであります。するとその霊能者は即座に、その坊さんは、大正五年十一月二十二日に男性として生れ出ている、と申した、というのです。そしてその会員さんは、後に私に会うようになり、私のことをその坊さんの生れ変りと信じてついて来られておりました。そう言えばその坊さんの生き方教え方と、私の教え方はまるで一つでありまして、生れ変りとまでいわなくとも、背後で指導しているぐらいの確かなる事実なのであります。

私の結婚と教えの誕生

つづけて自分のことを言うのもなんですけれど、私の結婚などは、そのまま神様に仕組まれていたというより仕方のない結婚で、広島原爆の中心地に住んでいた妻と、東京浅草に住んでいた私とが、同年月頃から、葛飾の亀有に住むようになり、しかも、私も妻も全く別々の経路から、労働問題を研究している同じ勤務先に数日違いで入社しているのであります。妻のほうなどはたまたま用事があって訪れた引揚援護局で、それ迄会ったこともない或る人に出会い、自分の友人がいるからいってごらんなさい、と私と同じ勤務先を紹介され、その日から入社し、私は神様の話などしていたので、唯物論の理事長さんに嫌われ、体が弱そうだから、という理由で断わられてしまったのですが、私を紹介した労働雑誌の編集長だった友人が、前に私が勤めていた日立製作所までいって、私の勤務ぶりや才能を調べてきてくれ、その成績が上々だったので、理事長も断わりきれず、妻の入社した三日後に編集者として入社することになったのです。私と妻は同じ時間に同じ電車で、同じ勤務先に行くということになり、殆んど朝に夕べに話合うということになったのであります。

ところがこの話合いは私のS教団理論を聞かせつづけるというような話で、妻のほうはS教団理論にはうんざりしていて、「文学や音楽の話をしている時の五井さんは、とても明るくて純粋で美しく見えるけれど、S教団の話をしている時は、一方的で押しつけがましくて、宗教のお話なのに反感をおぼえてしまう」というようなことを時折り言っていました。こうした妻とのやりとりで、私はS教団の教え方の不備なところに気づいたのです。それは、実相論が先に出てきて、人間を完全円満な神の子にしておいて、人間の悪や欠点がみえると、それを現象の心の法則で責め裁いてゆく、という実相と現象の二本だての教えの不調和だったのです。

もし私があの頃のように妻との会話がなかったら、私は今でもS教団の講師ぐらいで真剣に実相だ現象だとやっていたことでありましょうが、妻の日々の何気ないS教団批判で、私の心が、消えてゆく姿で世界平和の祈りという、実相も現象も一つにひっくるめた、神のみ心の実践という生き方を、日々瞬々の祈りによって行じてゆく、という新しくそして古い内容をそのまま生かした教えを生み出していったのであります。

ですから、白光の教えには、妻の力が大いに働いていたということになり、私が現在の教えをする為に、二人が結婚までゆかねばならぬように、すべてを神々のほうからつくって下さっていたことが、今でははっきり肯定されるのです。

世論を動かす方向に

宗教の道でも、鎌倉時代や戦国時代に、今の私の拡めているような平和の祈りをしても、とても誰もついては来られません。或る時は剣を、或る時は身を隠す、というように、自己本位に、力のある者についたり、身を守る為の戦いをしなければ生きてゆけなかった時代では、それを理論づける教えも生れているわけです。

法然さんの教えなどは、人々が乱れきっている世の中で、苦しみながら生活していることが判っておりますので、念仏一念の教えの中で、死後の世界の永遠の生命、法然さん流に言えば、西方極楽浄土への導きをしていたのであります。

もうすでにこの世での幸福など望むべきもないと諦めきった人々は、肉体身以後の西方極楽浄土にすべての夢を託して、南無阿弥陀仏を念じつづけたわけです。彼等の生きているのは念仏の中であり、未来にくる西方極楽浄土なのであります。

自分たちがどうあがいても、世の中がどう変わるものでもないのですから、自分たちのすべてをみ仏にお任せするより仕方がなかった大衆を、法然さんは念仏一念の中に吸いこんでいったのであります。

しかし今日は、世界中の世論を動かせば、世界の運命を動かすことのできる時代ですから、やはり自分たちの力で、世界の世論を動かしてゆく方向に働きかけてゆくことが必要です。その一つが神との一体化の働きによる世界平和の祈りなのであります。

神のみ心は決まっている

人類の歴史は神からはじまって、神に終始するのですが、その神の表面に肉体人間として働く生命体がいて、星々の運命をつくりあげてゆくので、この地球もその一つであります。人類の歴史は神を考えないではあり得ないのですし、肉体人間だけでは、到底地球の運命を開いてゆくわけにはゆかないのです。核爆弾の製造などは、神の本質である、愛と調和を忘れ果てた、物質的人間としての生き方のみを考えた末でありまして、国と国との大量殺戮（りく）がそこに行なわれるわけで、神の子の人間はそこで姿を消してしまうことになります。

神の生命の分れた力である人間生命は、地球の物質波動に合わせる為に、一度は物質波動を主にしてその生活をつくってゆくのでありますが、物質波動を主にしての人類の生き方ができ上がってゆきますと、個人と個人、国家と国家というように、個人にしても集団にしても、限定された物質をより多く自分たちのものにして、自分たちの生活を優位にしてゆくために、その道を邪魔する相手を倒してでも突き進んでゆこうとします。それが現在迄幾度びとなく、各所で戦争が行なわれてきた原因であり、今日では地球最後ともいうべき核爆弾の戦争一歩手前というところまできているのであります。

しかし、神のみ心は、地上天国を地球の上にも実現されることになっておりますのですから、やがて、神と人間との一体化による地球が開かれてゆくことになり、今日の核戦争への不安も根底から無くなってゆくのでありましょう。神界ではすでにそういう図面が地球の上に画かれているのであります。

その為の祈りによる世界平和運動の誕生でありますので、世界平和の祈りを日々行じつづけるようになられた皆さんの運命は、やがて天国を自分のものにしてゆく道を歩むことになった、ということで、安心立命の境地になることのできる状態になっている、ということなのであります。

簡単に申せば、皆さんが、祈りによる世界平和運動に参加したことは、そのまま神のみ心である、平和世界の地球に住みつくことのできる切符を買った、ということなのです。

世界平和の祈りというのは、今日行なわれることによって、その意義を充分に発揮し、神のみ心を地球世界に現わすことのできる教えなのであります。

神々の場、器、使いとして働くことになっている

古代に肉体人間が地球上に住みつき、霊的な波動体から、次第に物質波動の力のほうが大きくなって、今日のように、唯物的人間が多くなってきたのですが、その間、仏陀やキリストをはじめ、多くの聖者賢者が現われ、地球人類を指導してきたのでありますが、もう今日以後は、唯物的な生き方では、地球を滅亡させてしまうより仕方がないという時機に立ち至って、全面的に神々と人間との一体化による、地球完成の道をつくりあげてゆくことになったのです。それが祈りによる世界平和運動であり、その祈りを根幹にした様々な活動なのであります。

その神々の器として場として、使いとして、私たちが生れ出てきたのであります。家内をはじめ、娘たちも、職員や講師や会員の人たちも、すべて、この人類がはじまった時から、生れ変わり死に変わりしつつ、今日の時に働くことになっていたのであります。

白光三百号の発行もその過程の一つであるのです。地球平和完成の日は果していつになるか、それは大神様のみ心の中で判っているだけで誰にも判らぬことですが、その日がやがて

来ることだけは、今日までの人類の歴史から見て明らかなのであります。その為の釈尊の働きであり、イエスの大犠牲なのであり、世界平和の祈りの誕生なのであります。

世界平和の祈りに全託を

昭和55年9月〈白光〉発表

個人の生活に没頭する時期は過ぎた

近来は国際関係がますます複雑になってまいりまして、昔のように個人は個人だけの生活に没頭していればよい、というようなことはとてもできなくなっております。自国が、戦火の中にあった時などは、これはまた別の話ですが、現在のように日本は直接どことも戦争してもいないし、争ってもいないけれど、のん気に個人の生活だけを考えているわけにはいかないのです。

今度のソ連でのオリンピックにしても、日本は日本だけの考えで出場したり、取り止めたりすることはできないで、米国との話し合いで出場を断念したわけです。個人は勿論それに従うよりしかたがありません。米国や日本が出場しなかったその原因は、ソ連がアフガニスタンを侵略して、平和をこわした行動によるものです。オリンピックの本来が各国の平和を尊び願うところが基点になっているので、その主催国が他国を侵略しているようでは、オリンピックを開催する資格がない、だからそのようなオリンピックには日米共に参加しないのである、ということになったのであります。

その決定に対しては、日本人の中には反対の人もありましょうが、政府として、米国との友好も加えて、参加を取り止めたのですから、表面的にとやかくいうことはできません。しかし、その人たちの言い分は、アフガニスタン問題は、アフガニスタン問題、オリンピックはオリンピックとして、政治に関係なく行なわれるべきである、という気持なのです。

しかしながら、一方で戦争していて、一方で平和のお祭りのようなオリンピックを開催することは、どうも人間の常識としては、おかしなことは事実です。ですから、ヨーロッパのある国々のように、競技には参加するが、入場式には参加しないということもあったのです。

何にしてもソ連という国の在り方は、米国や日本にははかり知れない常識を破ったところがあって、その行動の一つ一つに疑問が湧いてきます。

正直がそのまま通らぬ地球人類の世界

米国でも日本でもヨーロッパでも、子供たちは必ず、人間は常に正しくなければいけない、嘘をついてはいけない、というような教えに育まれてきています。しかし実際の生活で嘘をつかずに生きることはとてもできにくいことです。それが国際間の政治取引きになると、そうした教えは、どこかの蔭にかくれてしまって、自国の優位になるように嘘も平気でついている状態です。そして、その状態の一番はげしくみえるのはソ連のようです。多くの国々はお互いに自国の正義を主張しあい、自国を優位の立場に置こうとする巧妙な嘘を言い合っているのが、現在の世界の状態です。

ソ連のアフガニスタン侵攻でも、あたかもアフガニスタンの政府軍に頼まれて力をかしているような、誰にでもわかる嘘をついて平然として居座っています。米国などソ連程はっきりわかる嘘はありませんが、小国を助けかばう政策の中には、自国の優位のための嘘があるわけです。アラブ諸国にしても、アフリカ諸国にしても、真正直に他国に対しているのではなく、やはり多くの嘘がまじった外交をしているわけです。

北ベトナムなどは、アメリカの侵入に抗議しつづけながら、アメリカがベトナムから手を引くとたちまち南側の反乱分子を支援して、ベトナム全体を自国の勢力下におき、今度はカンボジアなどに自国の勢力を伸ばしているという、先に攻撃していたアメリカのやり口とはまた違った方法で、自国の行動を正義化して権力を拡張しているのであります。

ベトナム戦争で、アメリカだけを悪者のように責めたてていたヨーロッパや日本人の野党の人々を、すっかりだましてしまったわけです。ベトナムは、東南アジア諸国にとっては、恐ろしい国ということになってきました。

ＥＣ諸国のことは今のところ余り表面にでていないのでわかりませんが、手前ぼめかもしれませんが、日本などは嘘の少ない政治政策を行なっているように思われます。しかし、戦争中の戦果報告など今考えますと、大分嘘が多かったようです。敵艦を多数撃沈したようなニュース報道が、実は嘘が多く、かえって日本の軍艦が次ぎ次ぎと撃沈されていたのでした。

何にしても、国というものは自国を優位な立場に置こうとして、平時においても戦時においても、その政治政策には常に裏表があるわけです。こういう状態では、世界が真の平和を築き上げることができるはずがありません。嘘がうまい、恥を知らない、武力の強い国が、世界に君臨しているわけです。これは地球世界にとってははなはだ困ったことであります。

地球人類だけが人類ではない

国と国とがだまし合い、はては原爆戦争で地球を破壊してしまいそうな今日の世界情勢は、実に深刻なものであります。もう大分人類一般にわかってきているようですが、この宇宙には地球人類だけではなく、他の星々にも人類が生存しているということです。先日、テレビで、ヨーロッパの人がＵＦＯ（空飛ぶ円盤）の写真をはっきりと数多く撮っていて、宇宙人とコンタクトをし円盤にも乗って、ＵＦＯや宇宙人の問題を多くの人に知らせています。

私どもも、二十年来宇宙人と交流をつづけておりまして、地球科学では及びもつかない超越した科学の学問を教わっています。現在、実に不思議だとされているＵＦＯの超越した力も、やがては解明され、我々の力で同じようなものを誕生させることができるようになることでしょう。

宇宙人は、宇宙の大調和のために働いておられるので、地球が自分たちの権力拡張のために、核戦争などしてもらっては大変迷惑なのです。宇宙人の科学力は、地球人の科学力など問題にならぬ程優れていまして、宇宙人がもし権力欲でもあったらば、地球などはたちまち宇宙人の権力下におかれてしまいます。しかし、宇宙人たちは、宇宙の大調和のために働いておられるので、地球人たちを愛に満ちた調和した人類に仕上げようと働いておられるのです。

しかし現在では、その事実をいう人は、はなはだ少ないのです。地球人は宇宙人のように大調和を目的に働いているという心とは、まだまだ遠い距離にあり、お互いの国の権力争いや、利害得失に日々を追われているのであります。このままの行き方では、地球は早晩亡びてしまいますし、地球が亡びては、宇宙の調和も成り立たないので、宇宙人は近頃は全面的に地球を助ける態勢にはいっています。

主体はあくまでも地球人類

しかし、宇宙人の在り方は、あくまでも目覚めた地球人を応援して、地球人自らの手で地球を救わせようとしているのであります。

私たちは、選ばれたる地球人の一人一人として、多くの同志を集めて、祈りによる世界平和運動をしているのであります。地球を救うのには、宇宙の大調和に向って、多くの地球人が働くようにならなければいけないのです。

人間は本来神の分生命（わけいのち）なのだから、権力欲に引き廻されたり、自分たちの損得で、嘘、偽りをいったりするはずがないのですが、事実はないはずの行ないをしています。宇宙人が大調和をめざして、地球人をも救おうとしているのに、地球人が神のことを思わぬ行為をしているのは、どうしたわけなのでしょう。そのことは、常に私が説明しておりますように、肉体人間として物質波動の地球に住みつくために、微妙な霊波動を遅鈍（ちどん）な物質波動にあわせて生活するようになって、神の子の本来の働きから、次第に離れてきてしまったためです。

これは何も地球人だけではなく、現在地球を救うために働いている宇宙人たちにも、そういう時期はあったのですが、神々の援助によって、そういう境涯を打破し、神のみ心そのままに大調和に向って働くようになったのです。ですから、地球人類も神々や宇宙人の援助がなくては、神のみ心のままの大調和の実現する働きの方向に進むことはできないのです。

それは、地球世界の現状をみていればよくわかることです。地球世界は肉体人間観の生き方から、神霊波動の生き方にならなければならないのですが、現在では物質波動の業念波が厚い壁となっていて、身動きならない状態になっているのですから、どうしても、他動的な援助を待つよりしかたがないのです。

今こそ、宇宙人や神々の救いの手をしっかりと握って、大調和の世界観のもとに、起ち上がらなければならないのです。

真の調和を生み出す法

その方法は浄土門的な念仏一念のような生活に、多くの人がなってゆくことなのです。それを現代的な方法にして実行しているのが、世界平和の祈りなのです。初めの頃に申しておりましたように、地球人間の世界では、正直でなければいけない、嘘偽り（うそいつわ）はいけない、ということが頭でわかっていても、生活面では、なかなかその実行ができませんで、何人（なんぴと）も良心の呵責（かしゃく）を受けているのです。そして、良心の呵責の少ない人や、国々がかえって栄えているのであります。それは、実に困ったことであるのですが、現実はどうしてもこういう形になってしまっているのです。

私の自叙伝（天と地をつなぐ者）の中に書いてありますが、関東大震災の時、学校で着替えの着物がない者は手をあげろ、といわれたのですが、私は着ているのがあるので、ありますと、手をあげませんでした。結局はほとんどの者が一枚づつもらって帰ってゆきましたが、私はもらわずに帰りました。ところが兄たちはみな一枚づつもらって帰って来ました。母親や兄たちから、わたしの馬鹿さ加減にあきれて、一日中こごとをいわれました。しかしわたしは、嘘をいってはいけない、という心と、人に物をもらうのではない、という日頃からの母の教えを守って、そうなったわけです。何がなんだか呆然としていました。そんなふうで子供の頃から要領がよくないと物質的には損をしたわけです。

しかし、それも次第に社会人並になりまして、人を助けるための嘘や、その場その場の環境と溶け合ってゆくための要領の良さを会得してゆきました。もし、この社会生活で自分の良心の命令するままの生き方を、自分にも他人にも妥協なしに行なっていったら、事毎(ことごと)に周囲とぶつかってしまうでしょう。仮りに会社勤めをしていて、上役のやり方が事毎に自分の良心にぶつかってくるのをそのまま相手に嘘いつわりなく、反発していたらとても、その上役と一緒にやってはいけません。その会社の調和のために、そういう人とも妥協してやってゆかなければ、組織体での働きはできません。

嘘をいうことや、人の誤りをだまって見過ごしているようなことは、良心的な人のすることではないようですが、集団の大きな調和のためには、そういう良心に妥協させる生き方もしなければならないのです。

だがここのところがむずかしいところで、そういう生き方になれて、良心が強く働かなくなっては大変です。そこに宗教的な祈りの生き方が必要になってくるのです。大きな会社の収賄事件で部長級の人が、社長や副社長の立場をよくするために、自殺をしたりすることが近頃の新聞にたまたま出ておりますが、上役の悪事をカバーするぐらいで死んでゆくのは、何とも情ないことで、こういう時こそ良心をきりっとさせて、真実のことを発表し、そういうことに関係した全ての人の進退を、はっきりさせたほうがよいのです。そういう力も宗教信仰がないとできないことで、大きな調和のため、またその上の大きな調和のためにこそ、自己を生かしてゆくべきなのです。

宇宙の大調和の軌道にそって生きる

世界人類が、真実の幸せを獲得するためには、みんなの心が調和して、宇宙の大調和の軌道にそって生きてゆかねばならないのです。宇宙の大調和とは、無限の星々が皆自分たちの軌道にのって、相手の他の星のさまたげにならないように生きてゆくことです。

もし、地球が核戦争などして、自らを滅亡させてしまったら、宇宙の星々の軌道に不調和の影響を及ぼすことになるのです。そうなっては大変なので、宇宙の先輩星が、地球が宇宙の大調和の道にのれるように、応援にきているのであります。宇宙の先輩星の人たちは、地球に幾多の聖者をつくって、地球救済のために働かせていたのですが、ただそれだけでは、まだ地球を救う力がたりないので、現在では、地球の聖者をもつかい、自分たちも時折、直接行動を起こして救いにたっているのです。

私たちは、宇宙の大調和の心をそのまま受けて、祈りによる平和運動の実践をしているのでありますが、それと同時に、それぞれに地球を科学的に立派にしてゆく、大調和科学の学問を教わり、地球の上に実践しようと励んでいるのであります。はじめのほうで申しておりましたように、現在の地球は、自分や自国をかばうための嘘、偽りが多く、普通の方法では、それを直すことはできません。そこで、今日までのそういう想念行為の癖は癖として、世界平和の祈りの中で、神々や、宇宙人の心と溶け合い、正しい調和した心を知らぬ間に磨きだしてゆくようにしているのであります。

どんなに、その一瞬一瞬に不調和な想念行動を起こしたとしても、それはみな過去世からの誤った癖が現われて、消えてゆこうとしているのですから、消えてゆくものを世界平和の祈りにのせて、神々のみ心の中で消していただくようにしているのです。それが消えてゆく姿で世界平和の祈りなのです。そうしているうちに、過去世からの誤った想念行為の癖は、祈りの大光明の中で消えてしまい、宇宙の大調和の心に、溶け込める心だけが表面に出てくるのであります。

必ず地球は平和になる

人の心で世界の情勢をみていますと、とても真実の平和の世界が生れ出るように思えません。しかし、神様は、地球世界もやがては完全平和になる、といっていらっしゃるし、宇宙人たちも、そういう状態を現わして、今は地球人類の救いに起っておられるのですから、必ず地球も真実の平和の世界を現出することになるわけです。そのためには、そういう平和な心、愛と真の心をおしかくしてしまうような業想念波動を消してしまうよりしかたがないわけで、積極的に愛や調和の働きをすることは、勿論よいことなのですから、その働きを容易にできるように、業想念波動を消えてゆく姿で、世界平和の祈りの実践によって、達成してゆくことが必要なのです。

人間の想いは、むりむり愛を行じようとしても、調和になろうとしても、なかなかなれるものではないのですから、あせらず、騒がず消えてゆく姿で、世界平和の祈りの真理を行じ続けてゆけば、いつの間にか、その人々は愛と調和に満ちた人々になってゆくわけです。

私どもの同志には、そういう人が多いのです。あまり一度に世界情勢を変えようとすると、どうしてもあせり心が出ますから、人の想念行為を根本的にあらためてゆく、世界平和の祈りに全託してゆくことが、今日の世界にとって、一番大事なのです。

著者紹介：五井昌久（ごいまさひさ）
大正５年東京に生まれる。昭和24年神我一体を経験し、覚者となる。白光真宏会を主宰、祈りによる世界平和運動を提唱して、国内国外に共鳴者多数。昭和55年８月帰神（逝去）する。著書に『神と人間』『天と地をつなぐ者』『小説阿難』『老子講義』『聖書講義』等多数。

発行所案内：白光（びゃっこう）とは純潔無礙なる澄み清まった光、人間の高い境地から発する光をいう。白光真宏会出版本部は、この白光を自己のものとして働く菩薩心そのものの人間を育てるための出版物を世に送ることをその使命としている。この使命達成の一助として月刊誌「白光」を発行している。

白光真宏会出版本部ホームページ　https://www.byakkopress.ne.jp
白光真宏会ホームページ　https://www.byakko.or.jp

世界人類が
平和でありますように

昭和五十六年五月　十　日　初　版
令和　二　年七月二十五日　十二版

著　者　五　井　昌　久
発行者　吉　川　譲
発行所　白光真宏会出版本部
〒418-0102　静岡県富士宮市人穴八一二―一
電　話　〇五四四（二九）五一〇九
ＦＡＸ　〇五四四（二九）五一一二
振替　〇〇一二〇・六・一五一三四八

印刷・製本　大日本印刷株式会社

乱丁・落丁はお取り替えいたします。
定価はカバーに表示してあります。
d1

ISBN978-4-89214-218-5 C0014